L'Armée secrète

www.casterman.com

Publié en Grande-Bretagne par Hodder Children's Books, sous le titre : *Secret Army*
© Robert Muchamore 2010 pour le texte.

ISBN 978-2-203-06465-2
L.10EJDN001217.C003

© Casterman 2011 pour l'édition française, 2013 pour la présente édition.
Achevé d'imprimer en août 2015, en Espagne. Dépôt légal : octobre 2013 ; D. 2013/0053/366

Conception graphique : Anne-Catherine Boudet

Déposé au ministère de la Justice, Paris
(loi n° 49.956 du 16 juillet 1949 sur les publications destinées à la jeunesse).

Robert Muchamore

L'ARMÉE SECRÈTE

traduit de l'anglais par Antoine Pinchot

HENDERSON'S BOYS. 03

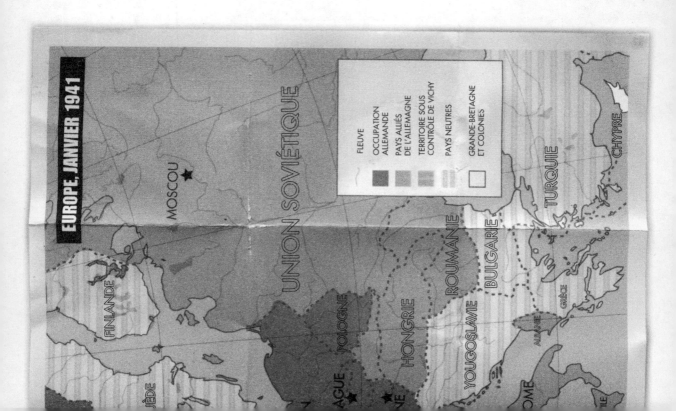

EUROPE, JANVIER 1941

MOSCOU

UNION SOVIÉTIQUE

FINLANDE

SUÈDE

POLOGNE

HONGRIE

ROUMANIE

YOUGOSLAVIE

BULGARIE

ALBANIE

GRÈCE

TURQUIE

CHYPRE

AGUE

ROME

FLEUVE

OCCUPATION
ALLEMANDE

PAYS ALLIÉS
DE L'ALLEMAGNE

TERRITOIRE SOUS
CONTRÔLE DE VICHY

PAYS NEUTRES

GRANDE-BRETAGNE
ET COLONIES

PREMIÈRE PARTIE

Janvier 1941

À la fin de l'année 1941, l'Europe de l'Ouest est aux mains de l'Allemagne nazie. Des tapis de bombes s'abattent sur les villes anglaises. Des U-boats traquent sans relâche les navires marchands afin de priver la Grande-Bretagne des matières premières indispensables à sa survie.

Un an plus tôt, le Premier Ministre britannique Winston Churchill a créé le Special Operations Executive (SOE), une armée secrète chargée des missions de renseignement et de sabotage en territoire occupé. À ces hommes, il a officiellement donné l'ordre de « mettre l'Europe à feu et à sang ».

Dès sa création, le SOE a établi son quartier général à Londres, au 64, Baker Street, et mis en place plusieurs camps d'entraînement. Le plus controversé d'entre eux est situé en bordure d'un champ de tir d'artillerie de l'armée britannique, au cœur de la campagne anglaise. Il abrite l'Espionage Research Unit B[1], une organisation placée sous le commandement de Charles Henderson.

---

1. Unité de recherche et d'espionnage B (NdT).

Avant d'être nommé à ce poste, Henderson a mené une opération d'infiltration en France occupée. Les circonstances l'ayant amené à collaborer avec quatre enfants, il a pris conscience de l'atout représenté par ces jeunes agents dans le cadre des missions de renseignement. En effet, contrairement aux espions plus âgés, ces derniers n'éveillent pas les soupçons des adultes.

La première équipe d'Henderson était composée de Marc Kilgour, un orphelin français âgé de douze ans, de Paul Clarke, un sujet britannique de onze ans, de sa sœur Rosie, treize ans, et de PT Bivott, un ressortissant américain de quinze ans recherché par la police de son pays.

Dès son retour en Angleterre, Henderson, placé sous le commandement du SOE, a commencé à sélectionner et à former d'autres recrues afin de mener de nouvelles opérations en France occupée.

CHAPITRE PREMIER

— Extinction des feux dans *sept* minutes ! aboya Evan Williams. En place pour la revue !

C'était un Gallois râblé au front barré d'un unique et énorme sourcil. Dès son ordre lancé, les vingt-quatre garçons coururent aux quatre coins du dortoir, leurs pieds nus martelant le linoléum glacé, afin de ranger leur brosse à dents et d'étendre leur serviette sur un radiateur, puis chacun se posta au pied de sa couchette, prêt pour l'inspection.

Chaque lit était fait au carré. Les bottes étaient cirées, les tennis nettoyées et blanchies, puis disposées à dix heures dix sur les cantines de fer où les enfants rangeaient leurs effets.

— Garde à vous !

Les garçons se raidirent. Chevilles jointes, regard fixe, épaules en arrière. Williams aurait préféré que ses protégés portent une tenue identique, mais les nouveaux arrivants devaient se contenter de leur pyjama civil par souci d'économie.

— Pas mal, grogna-t-il en passant entre les deux premiers lits installés de part et d'autre de la travée.

Dès qu'il eut atteint la deuxième rangée, il s'approcha de la couchette de droite et s'accroupit pour passer une main entre le matelas et le sommier.

— Au nom du ciel! s'étrangla-t-il.

Le sourcil frémissant, il promena un doigt maculé de rouille sous le nez d'un garçon de treize ans aux cheveux bouclés et aux orbites caves.

Tristan Leconte savait ce que Williams avait en tête. C'était injuste. Tous les cadres de lit étaient rouillés. Par cette démonstration, le surveillant réaffirmait son autorité, démontrait qu'il pouvait coincer chaque résident, même ceux qui respectaient scrupuleusement ses ordres.

— Eh bien, Leconte? Tu as avalé ta langue? Qu'est-ce que c'est que ça?

Tristan ignorait la traduction anglaise du mot « rouille », mais Williams exigeait des réponses rapides.

— C'est votre doigt, monsieur, dit-il avec un fort accent français.

Les autres élèves gloussèrent discrètement.

— Je sais bien que c'est mon doigt, foutue grenouille! rugit-il. Je te demande de me dire ce qui se trouve *sur* mon doigt.

Il en colla l'extrémité sous le nez du garçon.

— Je ne connais pas ce mot, monsieur, expliqua Tristan.

— Espèce de demeuré! hurla Williams avant de saisir le garçon par l'encolure du maillot de corps puis de le frapper sèchement à l'arrière de la tête du plat de la main. Douche froide, cinq heures du matin!

Sur ces mots, il relâcha sa victime et se dirigea vers le lit voisin.

Tristan frotta son crâne endolori puis se remit au garde-à-vous. Il détestait Williams, mais au fond, il ne s'en était pas trop mal tiré. Bien souvent, les corrections infligées à l'occasion des revues étaient d'une tout autre sévérité. Il tourna légèrement la tête de façon à pouvoir observer ses camarades. Il pouvait lire le soulagement sur leur visage, chaque fois que le surveillant passait devant eux sans faire de remarque.

— Martin Leconte, dit Williams en atteignant l'extrémité du dortoir. Voyons, voyons… On dirait que le crétinisme est une affaire de famille.

Martin, le frère de Tristan, n'avait que huit ans. Pourtant, le surveillant n'hésita pas à lui tordre l'oreille et à le secouer comme un prunier.

— Tes couvertures sont de travers, pauvre *imbécile.*

Le petit garçon lâcha un gémissement. Tristan sentit ses tripes se nouer. Impuissant, il regarda Williams défaire rageusement le lit de Martin.

Il se sentait coupable. Son frère était le plus jeune occupant du dortoir. D'ordinaire, il l'aidait à se préparer pour la revue, mais on l'avait envoyé chercher des bougies à l'étage, au bureau du personnel, et il avait tout juste eu le temps de faire son propre lit. Williams souleva le couvercle de la cantine de Martin.

13

— Jamais de ma vie je n'ai vu une telle pagaille ! rugit-il avant d'en répandre rageusement le contenu sur le sol. Tu ne serais pas un peu attardé, mon garçon ?

— Non, monsieur, sanglota l'enfant.

L'homme retourna la cantine d'un coup de pied puis secoua violemment Martin par les épaules.

— Ton nécessaire à cirage est dégoûtant. *Rien n'est plié correctement.* Il y a de la boue sur la semelle de tes tennis.

À chaque affirmation, Williams plantait brutalement ses pouces entre les côtes du petit garçon, provoquant des spasmes incontrôlables.

— Dans mon bureau, demain matin, à la première heure. Et pas d'eau chaude pendant une semaine.

— Non ! gémit Martin en tentant vainement de se libérer de l'emprise de son persécuteur. Laissez-moi tranquille !

Tristan savait qu'il s'exposait à de sévères mesures disciplinaires, mais il ne pouvait pas demeurer sans réaction face au traitement infligé à son petit frère.

— *Inacceptable !* cria-t-il.

C'était le seul mot anglais approprié qui s'était formé dans son esprit. Il s'engagea dans la travée et marcha vers Williams d'un pas décidé. Deux garçons le sup-plièrent à voix basse de regagner son lit. Un troisième se mit en travers de son chemin.

— Il va te tuer, murmura-t-il.

— Je t'assure, il vaut mieux faire profil bas, chuchota un quatrième.

Mais Tristan était déterminé.

Il visualisa l'acte héroïque qu'il brûlait d'accomplir : sécher Williams d'un direct à mâchoire, le décapiter d'un coup de sabre bien placé... Mais en réalité, il n'était qu'un garçon de treize ans vêtu d'un short et d'un maillot de corps, confronté à un adulte au regard féroce chaussé de bottes militaires.

— Oh, mais qui vient nous tenir compagnie ? s'amusa le surveillant, le visage éclairé d'un sourire dément, avant de pousser Martin vers la tête du lit. Que puis-je faire pour toi, mon gars ?

Tristan tremblait de tous ses membres, mais il était désormais impossible de battre en retraite sous les yeux de ses camarades.

— Il n'a que huit ans, dit-il. Pourquoi ne pas l'aider à s'améliorer, au lieu de le torturer ?

— Et qu'est-ce que tu comptes faire si je continue à ma manière, mon petit bonhomme ? le provoqua Williams. C'est mon dortoir. C'est moi qui établis les règles.

Tristan s'était battu à plusieurs reprises au cours de son existence, et il avait connu davantage de victoires que de défaites. Pourtant, déstabilisé par l'enjeu, il lança un coup de poing maladroit qui atteignit Williams au biceps et ne froissa même pas sa chemise.

— Tu oses porter la main sur moi ! rugit le surveillant.

Une seconde plus tard, Tristan se retrouva à plat ventre sur le lit de Martin, couché sur les jambes de son petit frère, immobilisé par une solide clé de bras.

— George, Tom, occupez-vous de lui. George et Tom, quinze ans, jouaient les adjoints et les informateurs pour le compte de Williams. En échange, il les laissait rançonner et tyranniser les résidents les plus jeunes et les plus vulnérables.

— Emmenez-les en bas, ordonna le surveillant.

Il pointa l'index en direction de Tristan et ajouta :

— Et faites en sorte que ce transfert soit *très* inconfortable.

Tristan ignorait ce que son bourreau entendait par *en bas*, mais le sourire sadique de George et de Tom ne lui disait rien qui vaille. Les deux brutes le saisirent par les épaules et le traînèrent à l'extérieur du dortoir. Ils parcoururent un couloir glacial, pénétrèrent dans un vestiaire obscur et lui ordonnèrent de s'adosser dans un angle de la pièce.

— Bats-toi, salaud de Français, sourit George en adoptant une posture de boxeur.

Ce dernier portait un pyjama trop étroit. Son torse était si musclé qu'il ne pouvait en boutonner la chemise qu'à mi-hauteur.

Tristan leva les poings, mais le premier coup de son adversaire le força à baisser la garde. Un upper-cut l'atteignit au menton et fit claquer ses mâchoires l'une contre l'autre.

— La fête ne fait que commencer, plaisanta George en saisissant sa victime par la nuque.

Il le força à se courber et lui porta un coup de genou à l'abdomen.

Tristan poussa un grognement, sentit un flot d'acide gastrique remonter dans sa gorge et vomit contre le mur. George lâcha une volée de coups puis fit un pas en arrière. Tom prit aussitôt le relais. Il tira sa victime au milieu de la pièce, lui fit un croche-patte et l'envoya rouler sur le lino.

— Ça fait mal, pas vrai, la grenouille ?

Secoué d'une quinte de toux, Tristan roula sur le dos puis s'assit péniblement, une main plaquée sur le ventre.

— On peut faire de toi ce qui nous chante, ajouta George. Quelle riche idée tu as eue de t'en prendre à Williams ! Tu as signé ton arrêt de mort.

Tristan, qui gisait dans la pénombre sous la menace des deux malabars, n'était pas en état de se défendre. Tous ses membres étaient douloureux, et un filet de sang coulait le long de son menton. Des cris résonnèrent dans le couloir. Dans l'encadrement de la porte, il aperçut les jambes de Martin qui tentait de s'arracher aux bras de Williams.

George souleva Tristan du sol et s'apprêtait à le frapper de nouveau lorsque le surveillant lança :

— Sortez-le de là. Je veux être dans ma chambre pour *Book at Bedtime*[2].

Un verrou claqua. Une main crispée sur la nuque de Martin, Williams ouvrit une porte d'un coup de pied. Aussitôt, un courant d'air froid balaya le couloir.

---

2. Célèbre émission littéraire de la BBC (NdT).

Lorsque George le poussa dans la petite cour située derrière le bâtiment, Tristan comprit enfin ce que son tortionnaire entendait par *en bas*.

— Je ne veux pas y aller, pleurnicha Martin. S'il vous plaît, s'il vous plaît...

Williams souleva la trappe où le livreur déversait le charbon.

— C'est le seul moyen de te faire entrer un peu de plomb dans la cervelle, répliqua le surveillant. Assieds-toi au bord et laisse-toi tomber, ou je t'y expédie à coups de pied.

Le tas de charbon occupait un angle de la cave. Martin atterrit au sommet du monticule et trébucha sur les galets noirs jusqu'au sol de terre battue.

— Prends garde aux rats, ricana Tom. Ils te grigno-teront les orteils si tu as le malheur de t'endormir.

George s'apprêtait à pousser Tristan dans l'ouverture.

— Attends une minute, ordonna Williams. Je n'en ai pas fini avec lui.

Tom passa un bras musculeux autour de la poitrine de sa victime. Williams s'approcha et lui adressa un sourire vénéneux. Au fond de la cave, Martin poussait des cris déchirants.

— Je n'ai jamais pu saquer les Français, gronda le surveillant avant de lui porter un direct à l'œil droit. Balancez-moi cette petite ordure.

George força Tristan à plier les genoux d'un violent coup de pied et, d'une simple poussée dans le dos, le précipita sur le tas de charbon. La trappe de bois se referma en claquant sur les frères Leconte, puis Williams poussa le verrou.

— Bonne nuit, les enfants, cracha-t-il.

— Et attention aux rongeurs, insista George.

Martin était adossé à un mur, près de la porte métallique donnant sur les cuisines. Il faisait noir comme dans un puits. Il pataugeait dans l'eau glacée, et il tremblait comme une feuille. Il était convaincu que la cave grouillait de blattes et d'araignées.

— Tristan ? gémit-il, avant de s'abandonner à une quinte de toux provoquée par la poussière de charbon en suspension.

Lorsque les voix de Williams et de ses complices se firent plus lointaines, il se déplaça à l'aveuglette vers le monticule. Ses mains se posèrent sur des morceaux de charbon glacés puis elles rencontrèrent le dos de son frère.

— Tristan ? répéta-t-il en martelant son corps inerte. Qu'est-ce qui se passe, Tristan ? Tu es mort ?

CHAPITRE DEUX

Le fauteuil s'inclina vers l'arrière dans un chuinte-
ment d'air comprimé. Marc Kilgour se retrouva face à
l'énorme lampe d'examen. Ébloui et anxieux, il planta
ses ongles dans les accoudoirs, puis étudia le plafond
immaculé et les vitrines où étaient exposées prothèses
et dents artificielles.

Le docteur Helen Murray, dont le cabinet londonien
était établi à Harley Street, était spécialisée dans le
traitement des enfants et des victimes de graves trau-
matismes dentaires. Elle écarta la lampe puis dévisagea
le petit blond aux yeux bleus et aux cheveux ras.

— Nerveux ? demanda-t-elle d'une voix apaisante.

— Un peu, admit Marc.

— Quand t'es-tu rendu chez le dentiste pour la dernière fois ?

Marc s'exprimait avec un léger accent français, mais
il était doué pour les langues, et nul n'aurait deviné
qu'il n'étudiait l'anglais que depuis quatre mois.

— J'ai grandi dans un orphelinat, expliqua-t-il. Quand on avait une carie, le directeur enroulait un fil de fer autour de la dent malade et l'arrachait d'un coup sec.

— Mes méthodes sont *un peu plus* sophistiquées, sourit le docteur Murray. Mon équipement est tout neuf, en provenance directe des États-Unis. Maintenant, montre-moi tes dents.

Marc écarta largement les mâchoires, exhibant une dentition où il ne manquait qu'une incisive.

— J'ai vu bien pire, assura le docteur Murray en s'emparant d'un des instruments alignés sur un plateau métallique. Mais j'aperçois plusieurs caries, tout au fond. Tu dois insister sur ces zones-là quand tu te brosses les dents, sinon, tu recevras un dentier pour ton vingtième anniversaire.

Marc frissonna lorsque la femme glissa la sonde dans sa bouche et en posa la pointe sur sa mâchoire.

— Lève la langue... Voilà, c'est bien. Tu sens quelque chose quand j'insiste à cet endroit ?

— Hon-hon, répondit Marc.

Le souvenir de l'officier de la Gestapo arrachant son incisive, l'été précédent, était encore bien présent dans son esprit.

— Tu te souviens du morceau de racine que je t'ai montré sur la radio ? demanda le docteur Murray en saisissant un petit instrument équipé d'un miroir. La dent a été extraite si violemment qu'elle s'est cassée au niveau de la gencive. Le fragment s'est logé dans ta mâchoire, et c'est lui qui empêche la plaie de cicatriser.

C'est pour ça que tu as toujours un peu mal. Je vais donc pratiquer une incision assez profonde pour la retirer, mais je vais tâcher de faire vite.

L'assistant épongea la sueur qui perlait au front de Marc. Ce dernier se raidit lorsque le docteur Murray approcha la lampe de son visage.

— Ouvre grand, sourit-elle. Il est possible que ça fasse un peu mal.

Malgré la lumière éblouissante, Marc parvint à garder les yeux entrouverts. Saisi d'épouvante, il aperçut la lame d'un scalpel pointée devant son nez.

. . .

Charles Henderson se trouvait à trois kilomètres de là, assis à une table de l'*Empire and India Club*, sur Pall Mall. Des portraits de maharadjahs ornaient les murs lambrissés. L'établissement avait connu des jours meilleurs. L'ours empaillé exposé devant la porte semblait un peu voûté, et sa fourrure était toute pelée.

Henderson portait un uniforme de capitaine de frégate de la Navy aux manches galonnées d'or. L'homme qui lui faisait face arborait les distinctives de vice-maréchal de la Royal Air Force, un grade supérieur dans la hiérarchie militaire. Ils dégustaient un curry plein d'eau accompagné d'un unique bol de riz au safran.

Henderson avala un morceau de pomme de terre tiède et une bouchée d'agneau filandreux.

— C'est absolument infect.

Le vice-maréchal Walker hocha la tête.

— Ça me rappelle la nourriture de l'internat. À ce propos, où avez-vous suivi votre scolarité ?

— À Burghley Road.

Walker haussa un sourcil. Peu de militaires issus du milieu ouvrier parvenaient à se hisser au rang d'officier de la marine. Ils étaient encore plus rares dans les clubs pour gentlemen comme l'*Empire and India*.

— Disons que j'ai fait un mariage heureux, ajouta Henderson. C'est mon beau-père qui m'a permis de devenir membre.

— Je comprends, sourit Walker. Comment va votre épouse ? Joan, c'est bien ça ?

— Elle est un peu... particulière. Elle a beaucoup changé depuis que notre fille a été emportée par la tuberculose.

— Vous vivez toujours à Mayfair ?

Henderson secoua la tête.

— Ma femme n'a pas les nerfs assez solides pour supporter les bombardements. Nous avons laissé notre appartement à un couple de réfugiés juifs venus de Francfort, et nous nous sommes installés dans le camp d'entraînement.

— Bien, lâcha Walker en examinant avec suspicion un corps étranger qui flottait dans sa cuiller. Et vos garçons, comment se comportent-ils ?

— Ils sont formidables. J'ai déniché un instructeur japonais dans un camp d'internement. Il sait s'y prendre avec les recrues. Notre première promotion comprend

six membres, et ils progressent à pas de géant. La surintendante McAfferty étudie plusieurs candidatures afin
de former une seconde équipe.

— Selon vous, pourrait-il s'agir d'excréments de
souris ? demanda Walker en lui présentant une petite
boulette brune trouvée dans son assiette.

— Difficile à dire, répondit Henderson en réprimant
un sourire. Aucun client n'est mort empoisonné dans
cet établissement. En tout cas, si vous voulez conserver
l'appétit, je vous conseille de ne pas vous poser trop
de questions, par les temps qui courent.

— Ce sont des épices ! protesta une serveuse déchar-
née en se penchant au-dessus de la table. Vous vous
attendiez à quoi en commandant ces saletés exotiques ?
Maintenant, si vous voulez un dessert, faites votre choix
en vitesse, parce que je tiens à rentrer chez moi avant
le black-out, et que je dois dresser toutes les tables
pour le service du soir.

Walter lâcha la boulette dans son curry puis repoussa
son assiette.

— Peut-être pourriez-vous nous présenter le chariot
des desserts ?

— Il n'y a que du baba au rhum et du crumble, grogna
la serveuse. Avec les restrictions, ça fait quatre mois
que nous n'avons plus besoin de chariot.

— Il est à quoi, votre crumble ? demanda Henderson.

— Notre cuisinier y ajoute ce qu'il trouve à l'intérieur
des boîtes de conserve portant l'étiquette *fruits*. Je ne
peux pas vous en dire plus.

Walker posa une main sur son ventre.

— Finalement, je crois que je suis rassasié. Je prendrai juste un café.

La serveuse désigna une table placée au fond du restaurant.

— La cafetière se trouve là-bas. Self-service.

Lorsque la femme eut emporté leurs assiettes, Henderson et Walker éclatèrent de rire.

— Le service est *fantastique* dans cet établissement, sourit ce dernier. Où sont passés les serveurs aux gants blancs d'avant-guerre ?

— Ils se battent contre les Boches, répondit Henderson. À ce propos, j'espérais que vous pourriez m'aider à contourner la procédure administrative. Mes garçons sont censés se préparer pour une opération sur le sol français. Ils ont besoin de parachutes pour l'entraînement, mais l'école de la Royal Air Force nous met des bâtons dans les roues.

Walker considéra longuement cette requête.

— Je vais être franc avec vous, Henderson, dit-il sur un ton ferme. Nous sommes nombreux au SOE à penser que votre projet est un peu... tiré par les cheveux. Charger de jeunes garçons de mener des opérations d'infiltration dans une zone de guerre, ce n'est pas très sérieux. Vous êtes un agent expérimenté, et vous connaissez le terrain mieux que personne. Nous pensons que vous devriez rejoindre le quartier général de Baker Street. Je vous propose de travailler à mes côtés, en tant que commandant en second. Pensez à l'importance de cette promotion : deux rangs hiérarchiques, Henderson ! Vous seriez chargés de toutes les opérations de renseignement en France occupée. Il convenait de répondre avec tact.

— Monsieur, s'il s'agit d'un ordre, je me présenterai dès demain au quartier général et m'efforcerai d'accomplir mon devoir. Mais avec tout le respect que je vous dois, je ne suis qu'un agent opérationnel, pas un gratte-papier. Je ne connais rien de plus assommant que ces interminables réunions, et je déteste la bureaucratie.

— J'espérais que vous vous montreriez plus raisonnable, répliqua Walker avec raideur. Mais votre réponse ne m'étonne pas vraiment.

— Je ne suis tout simplement pas l'homme de la situation, monsieur.

— Vous restez convaincu que ces enfants espions peuvent faire basculer la situation en notre faveur ?

— Ça ne fait aucun doute, monsieur, répondit fermement Henderson. Pensez-vous être en mesure de régler mon problème de parachutes ?

Walker repoussa sa chaise et lâcha un profond soupir.

— Vous êtes sincère et courageux, Henderson, mais je ne suis pas le seul à douter du bien-fondé de votre projet. Les services de renseignement disposent de ressources limitées, et je ne suis pas certain que nous soyons en mesure de financer l'initiation au parachutisme de garçons de douze ans. En outre, je doute que ces derniers soient émotionnellement armés pour les opérations d'infiltration.

Henderson était ulcéré par ce retournement inattendu. Éprouvant des difficultés à respirer, il tira sur le col de sa chemise.

— Monsieur, déclara-t-il, l'opération visant à interrompre les projets de débarquement allemand sur le sol anglais a été couronnée de succès. Les enfants que j'ai employés se sont comportés de façon admirable. C'est leur jeunesse qui leur a permis d'opérer avec autant d'efficacité, car jamais les nazis ne les ont suspectés. Nous avons reçu une lettre de la hiérarchie indiquant que le Premier Ministre lui-même approuvait notre...

— Je connais parfaitement les circonstances dans lesquelles votre unité a été constituée, interrompit Walker, visiblement irrité. Cependant, de nombreuses personnes dans l'entourage du Premier Ministre partagent nos doutes, et ses décisions ne sont pas irrévocables. Est-ce bien clair ?

— Oui, monsieur, répondit Henderson en s'efforçant de dissimuler sa colère.

— Pour le moment, je ne suis pas disposé à autoriser cet entraînement, ni à fournir davantage de moyens à l'Unité B. En outre, je dois vous avertir que le futur de cette organisation fait actuellement l'objet d'une enquête administrative.

— Monsieur, je vous demande simplement de permettre à mes agents de prouver leur valeur. Je sais que les ressources du SOE sont limitées, mais nous disposerons bientôt d'un commando capable de contre-carrer les projets allemands. Laissez-moi au moins plaider ma cause auprès des personnes chargées de mener l'enquête.

Walker se leva et jeta sa serviette sur la table.

— Votre unité n'est qu'un objet de distraction puéril. Si vous êtes amené à jouer un rôle quelconque dans le déroulement de cette enquête administrative, je vous en informerai par les voies officielles. À présent, vous voudrez bien m'excuser, mais je dois regagner Baker Street.

— Bien monsieur.

Le vice-maréchal Walker tourna les talons et se dirigea d'un pas martial vers le vestiaire. Henderson déboutonna le col de sa chemise et frotta pensivement son front rougi. Par quel miracle pourrait-il encore sauver son unité ?

CHAPITRE TROIS

Tristan leva les yeux vers le fin rai qui encadrait la trappe et constata que la lumière extérieure avait faibli. Selon ses estimations, ils se trouvaient dans la cave depuis au moins dix-huit heures. Plusieurs garçons étaient entrés dans la réserve afin de collecter du charbon. L'un des cuisiniers leur avait fourni une bouteille d'eau et un sac en papier contenant des épluchures de légumes.

— Arrête de te frotter les yeux, dit Tristan en français. Ça ne fait qu'aggraver les choses.

Martin laissa tomber ses mains couvertes de suie le long de ses jambes. Il était au bord des larmes.

— Je n'arrive pas à m'en empêcher, gémit-il. Ça pique tellement fort.

La poussière lui brûlait la gorge. Elle se glissait sous ses vêtements, rendant leur contact insupportable. Des éclats de charbon tranchants lui blessaient la plante des pieds.

— Combien de temps ça va durer ?
— Je ne sais pas.

— On est là depuis quand ?

Tristan soupira.

— Ils nous ont enfermés ici hier, à l'heure du coucher. La nuit commence à tomber. Il doit être un peu plus de quatre heures de l'après-midi.

Martin compta sur ses doigts.

— Presque une journée, murmura-t-il. Ils ne vont pas tarder à venir nous chercher.

— Qu'est-ce qui prouve qu'ils ne vont pas nous garder ici une semaine entière ? objecta Tristan. Et arrête de poser sans arrêt les mêmes questions. Tu vas finir par me rendre fou.

— On devrait s'enfuir dès qu'ils nous auront libérés, dit Martin

— Et pour aller où ? répliqua Tristan. On est au beau milieu du pays de Galles. Il neige, nous n'avons pas un sou, et on sera repérés dès qu'on ouvrira la bouche à cause de notre accent français.

— Je parle bien anglais. Beaucoup mieux que toi.

— Tu aurais mieux fait d'apprendre à faire ton lit correctement. Je t'ai expliqué vingt fois. Ça n'a rien de sorcier, nom d'un chien.

— Ce n'est pas ma faute si on est ici. C'est *toi* qui as frappé Mr Williams.

— Ah, la ferme ! cria Tristan. J'essayais juste de te venir en aide.

Martin secoua la tête puis lança un morceau de charbon contre la porte métallique.

— Si tu continues comme ça, ils vont descendre nous coller une raclée, avertit son frère.

— En tout cas, moi, je vais m'enfuir, dit le petit garçon. Je préfère mourir de froid que de continuer à vivre ici.

...

La surintendante Eileen McAfferty aperçut avec soulagement le panneau *Maison de correction de Hay-on-Wye* au travers du pare-brise de sa petite Austin. Elle aurait dû s'y présenter plusieurs heures plus tôt, mais un accident survenu sur la chaussée verglacée avait paralysé la circulation. De plus, tous les panneaux indicateurs du Royaume-Uni avaient été démontés sur ordre du gouvernement, afin de contrarier la progression d'un hypothétique corps expéditionnaire allemand.

McAfferty s'engagea sous un portail de briques puis emprunta l'allée de gravier qui menait à l'entrée de l'établissement. La construction de style victorien lui rappelait son école de Glasgow. Mais cette école-là n'était pas noire de suie. Le jardin était bien entretenu. Une épaisse couche de neige recouvrait les terrains de sport et la place d'armes. Tout n'était que calme et silence.

L'intérieur du bâtiment offrait un tout autre spectacle. La porte principale grinça sur ses gonds, révélant un couloir éclairé par des ampoules nues. L'air embaumait la sueur et les petits pois bouillis.

— Il y a quelqu'un ? lança McAfferty en frottant ses mains l'une contre l'autre pour se réchauffer. Eh oh !

Cet appel, prononcé avec un fort accent écossais, résonna en écho sur les cloisons. Une secrétaire pas plus haute que trois pommes franchit une porte latérale et déclara sèchement :

— Pas de visites aujourd'hui.

Puis, découvrant l'uniforme de la Navy de la surintendante, elle se ratatina.

— J'ai essayé de vous joindre par téléphone, expliqua McAfferty, mais personne n'a répondu. Je suis à la recherche de deux garçons, Tristan et Martin Leconte.

— Vous êtes de la famille ? Sans quoi, je ne peux rien faire pour vous. Il faudra nous adresser une demande écrite et vous présenter aux heures de visite.

— Je suis ici dans le cadre d'une mission officielle. Cela fait longtemps que je recherche ces enfants.

— Les petits Français doivent se trouver à l'extérieur, mais je peux appeler leur responsable. À cette heure, il est sans doute en train de prendre le thé au salon.

Elle prit une profonde inspiration puis lança à pleins poumons :

— Mr Williams ! Vous êtes demandé à l'entrée !

— Nous nous trouvons dans une maison de redressement, n'est-ce pas ? demanda McAfferty. Une sorte de prison pour enfants…

— C'est exact, confirma la secrétaire. Nous ne disposons pas de cellules, mais en effet, les résidents sont placés dans ce centre sur décision de justice.

— Et savez-vous pour quelle raison les frères Leconte se trouvent ici ? À ma connaissance, ils n'ont commis aucun crime.

— Circonstances exceptionnelles, expliqua la femme. Nous accueillons des délinquants, c'est vrai, mais nous disposons de lits disponibles. Depuis les bombardements, avec tous ces enfants évacués de Londres, nous hébergeons quelques réfugiés.

McAfferty était abasourdie.

— Le plus jeune n'a que huit ans, il me semble.

— Martin, précisa la secrétaire. C'est l'un de nos plus jeunes pensionnaires. Avant la guerre, nous ne recevions que des résidents âgés de treize à dix-sept ans.

Williams franchit une porte donnant sur le couloir, à une dizaine de mètres de l'entrée. En dépit de sa petite taille, il s'adressa à McAfferty sur un ton autoritaire.

— C'est pourquoi ?

— Je souhaiterais m'entretenir avec Tristan et Martin Leconte.

— Je regrette, c'est impossible. Du moins pas aujourd'hui. Ils font de l'exercice à l'extérieur. Ensuite, ils dîneront et feront leurs devoirs. Vous ne pouvez pas vous présenter comme ça, à l'improviste. Nous avons des règles.

McAfferty serra les lèvres.

— En ce cas, j'attendrai qu'ils aient achevé leurs activités de plein air. J'ai fait de nombreuses heures de route et je ne quitterai pas les lieux avant de les avoir rencontrés.

Elle trouvait à son interlocuteur un air singulièrement sournois, mais elle ignorait ce qu'il s'efforçait de lui cacher.

— Pourquoi tenez-vous tant à les voir ? demanda Williams. Qu'ont-ils de si formidable, ces chers petits ?

— Ils parlent français, expliqua McAfferty. Et ils peuvent nous rendre de grands services sur le plan militaire. Je vous ai adressé un courrier, j'ai tenté de vous joindre par téléphone, mais votre ligne doit être en dérangement.

— Nous n'avons reçu aucune lettre.

— Le téléphone ne fonctionne plus, confirma la secrétaire. Le poids de la neige a dû emporter un câble, et personne ne s'est soucié de le réparer. Mais nous avons bien reçu une lettre. Je suis certaine de l'avoir remise au directeur.

McAfferty haussa les sourcils.

— J'aimerais lui parler.

— Il est absent, s'exclama triomphalement Williams tandis que la secrétaire regagnait son bureau. Il fait partie du conseil local, et il a dû se rendre à une réunion à Newport. Il ne sera pas de retour avant vendredi.

— Cher monsieur, dit McAfferty, pourquoi ai-je la désagréable impression que vous faites tout ce qui est en votre pouvoir pour me décourager de parler à ces garçons ?

— Il y a une procédure, madame. Vous vous trouvez dans une maison de correction. Nous devons appliquer certaines mesures de sécurité.

— Pour les résidents placés par les tribunaux, cela va sans dire. Mais les frères Leconte sont des réfugiés. Ils n'ont rien fait de mal.

— Pas de traitement de faveur.

McAfferty ne dissimula pas son étonnement.

— Vous affirmez que les enfants évacués à cause des bombardements sont traités comme les voyous et les criminels de cet établissement ?

Avant que Williams n'ait pu formuler une réponse, la secrétaire réapparut, une lettre manuscrite à la main.

— Voilà ! s'exclama-t-elle. Monsieur le directeur m'a remis cette note vous autorisant à rencontrer les garçons et à les emmener s'ils remplissent vos critères de sélection.

McAfferty constata que la secrétaire employait une formule diplomatique. En réalité, l'autorisation était rédigée en ces termes : « *Faites-lui savoir qu'elle peut emporter autant de vauriens qu'il lui plaira, et que je me fiche pas mal de savoir ce qu'elle compte en faire.* »

— En ce cas, notre affaire est réglée, sourit McAfferty en consultant sa montre. Je dois questionner les frères Leconte avant de prendre ma décision. Comme j'ai de longues heures de route devant moi, je souhaiterais les voir sans trop tarder.

Williams s'empourpra. La détresse se lisait sur son visage.

— Très bien... je suppose que je n'ai pas le choix. Je vais les faire venir ici, mais je vais avoir besoin de quelques minutes pour leur donner une allure présentable.

McAfferty lui adressa un sourire malicieux.

— Peu importe à quoi ils ressemblent, Mr Williams. Je crois pouvoir soutenir la vue de deux enfants couverts de boue.

•••

— Quelqu'un approche, dit Martin en reculant vers le tas de charbon.

La porte métallique s'ouvrit à la volée, et Williams déboula dans la cave. Il semblait aussi hargneux qu'à l'ordinaire, mais les garçons perçurent confusément qu'il était préoccupé.

— Il y a une femme ici qui veut vous rencontrer, aboya le surveillant. Alors vous allez sortir de ce trou à rats et vous débarbouiller en vitesse. Le premier qui l'ouvre, je la lui ferme définitivement.

Les frères Leconte inspirèrent avec délice l'air glacial de la cour. Tristan massa ses côtes endolories, puis il constata qu'il était incapable d'ouvrir l'œil droit, dont la paupière avait gonflé démesurément. Williams les accompagna jusqu'à la chaufferie et les poussa dans l'escalier en colimaçon menant aux cuisines.

36

Alors, à leur grand étonnement, il ne les conduisit pas directement vers les douches, mais emprunta la porte de service et le chemin boueux qui contournait le bâtiment et permettait aux résidents d'accéder directement à la salle de bains collective depuis les terrains de sport.

— Retirez vos sapes, ordonna-t-il en se penchant en avant pour tourner le robinet d'alimentation.

Les douze pommes de douche vissées au plafond entrèrent simultanément en action. Les garçons s'emparèrent de savonnettes disposées dans une niche carrelée, puis se précipitèrent sous l'eau chaude.

Un jus noirâtre zébra leur corps puis s'écoula à leurs pieds. La vapeur apaisait leurs poumons irrités par la poussière de charbon. Ils penchèrent la tête en arrière, écartèrent les mâchoires puis laissèrent l'eau couler dans leur gorge avant de la recracher.

— Frottez bien partout, ordonna Williams. Sous les ongles, derrière les oreilles. Et n'oubliez pas les cheveux. Je veux que ça mousse. Je serai de retour dans quelques instants. Vous avez intérêt à briller comme des sous neufs.

Lorsque le surveillant eut quitté la pièce, Martin se tourna vers son frère.

— Tu crois qu'il s'est attiré des ennuis en nous enfermant dans la cave ? chuchota-t-il.

En dépit de ses côtes meurtries et de son œil mi-clos, Tristan sourit.

— Le directeur est peut-être rentré plus tôt que prévu. Si c'est le cas, Williams a dû se faire remonter les bretelles. Viens par là, je vais te laver les cheveux.

— L'eau est tellement chaude, c'est délicieux, gloussa Martin en examinant les coupures et les écorchures dont ses bras et ses jambes étaient constellés.

— Ferme les yeux, dit Tristan en frottant sa savonnette sur la tête de son frère.

Dès qu'il en eut chassé la mousse, Williams, de retour dans la salle de bains, tourna le robinet et leur jeta deux serviettes à la propreté douteuse.

— Séchez-vous en vitesse, ordonna-t-il en examinant les enfants de la tête aux pieds.

Malgré leurs efforts, ils n'étaient pas parvenus à éliminer toute la poussière de charbon incrustée sous leurs ongles, mais une fois habillés, le résultat serait tout à fait convenable.

— Je vous ai apporté des vêtements propres, dit-il sur un ton qui se voulait complice, pour la première fois depuis que Tristan et Martin avaient rejoint la maison de redressement.

Lorsqu'ils se furent essuyés, ces derniers considérèrent avec stupéfaction les sous-vêtements d'un blanc éclatant, les blouses parfaitement repassées et les bottes neuves posées sur le carrelage, à l'entrée de la salle.

— Maintenant, ouvrez bien vos oreilles : écoutez ce que cette femme est venue vous dire et contentez-vous de répondre simplement à ses questions. Pas de bavardages, c'est compris ?

McAfferty attendait les frères Leconte dans une salle de classe déserte, assise derrière le bureau de l'instituteur. Williams leur intima l'ordre de prendre place au premier rang, puis il se posta près de la porte. La blouse de Martin était immense. Tristan dut l'aider à en rouler les manches jusqu'aux poignets.

— Mon Dieu ! s'exclama McAfferty en désignant l'œil gonflé de ce dernier. Que t'est-il arrivé ?

Williams répondit à sa place :

— Toujours en train de se bagarrer. Il lui faut une discipline de fer.

Tristan hocha humblement la tête puis s'exprima en anglais :

— Je sais que je n'aurais pas dû me battre.

McAfferty se tourna vers le surveillant et lui parla d'une voix blanche :

— Je vous remercie, Mr Williams. Et n'oubliez pas de fermer la porte derrière vous.

Lorsqu'il eut quitté la salle de classe, elle ajouta, en français :

— Il m'a l'air plutôt louche, cet homme-là.

Les deux garçons étaient enchantés d'entendre l'inconnue s'exprimer dans leur langue natale, même si l'accent de McAfferty n'était pas des plus académiques.

— Tristan, j'ai entendu dire que tu avais fait preuve d'un courage exceptionnel lors de l'évacuation de Dunkerque, sourit-elle.

— Oh, ça n'avait rien d'extraordinaire, répondit l'intéressé, embarrassé, en contemplant la pointe de ses bottes. Mon père possédait un voilier, et je lui ai donné un coup de main. N'importe qui aurait fait comme moi.

— Mais ton père a été tué, ajouta McAfferty.

Tristan hocha la tête.

— Et pourtant, au lieu de te réfugier sur la côte anglaise, tu es retourné chercher Martin, puis tu as évacué onze soldats britanniques en Angleterre sous le feu ennemi.

Le garçon haussa modestement les épaules.

— Mon grand frère est un héros, dit gaiement Martin.

— Quelqu'un m'a raconté ton histoire, à Londres, à l'ambassade de France. Mais personne ne savait ce que tu étais devenu. Avec tous ces enfants évacués vers la campagne, j'ai passé deux mois à rédiger des lettres et à passer des coups de téléphone avant de te retrouver. Je suis navrée que tu aies atterri dans cet endroit affreux, après tout ce que tu as déjà traversé.

— Il n'est pas si affreux que ça.

Martin lui donna un coup de coude puis lui adressa un regard noir.

— C'est le pire endroit de la terre, gémit-il. Williams nous a battus, et il nous a enfermés dans la réserve de charbon, tout ça parce que je n'avais pas bien fait mon lit.

— Chut ! protesta son grand frère.

Le surveillant ne comprenait pas un traître mot de français, mais Tristan était convaincu qu'il espionnait leur conversation, l'oreille collée à la porte, et que le ton geignard de Martin suffirait à éveiller ses soupçons.

— Il a vraiment fait *ça* ? s'indigna McAfferty. Combien de temps vous y a-t-il laissés ?

Tristan répondit à voix basse.

— Une vingtaine d'heures, mais *par pitié*, il ne faut pas qu'il sache que nous vous en avons parlé. Dès votre départ, il nous *tuerait*.

— Vous ne resterez pas ici une heure de plus, gronda McAfferty en se levant d'un bond. J'ai une proposition à te faire, Tristan, mais que tu l'acceptes ou pas, je crois qu'il vaut mieux que je vous emmène loin de cette prison.

Une proposition ?

— J'appartiens à une organisation baptisée *Espionage Research Unit*. Notre base se trouve à quelques heures de route. Nous préparons des garçons comme toi à des missions d'infiltration en France occupée. C'est un travail dangereux, et l'entraînement n'est pas de tout repos, mais selon nos critères, tu es la recrue idéale.

— Moi aussi je pourrai devenir un espion ? demanda Martin.

— Tu es un peu trop petit pour le moment. Mais nous nous occuperons de toi. Nous avons déjà recueilli quelques enfants de ton âge. Si la guerre traîne en longueur, tu auras peut-être ta chance.

Martin débordait d'enthousiasme, mais Tristan se montra plus réservé.

— Si je comprends bien, c'est à moi de choisir. Pourrais-je venir avec vous, pour voir de quoi il retourne, sans m'engager définitivement ?

41

— Évidemment, confirma McAfferty. Mais quelle que soit ta décision, je te promets que tu ne remettras pas les pieds dans cette prison.

Tristan ne saisissait pas vraiment les motivations de l'inconnue, mais son intervention avait tout d'un miracle. Allait-il se réveiller dans la réserve à charbon, et découvrir que cette femme en uniforme n'était que le fruit de son imagination ?

— Allez chercher vos manteaux et vos gants, si vous en possédez, dit McAfferty en marchant vers la porte. Il fait froid dehors, et le chauffage de ma voiture n'est pas très efficace.

Williams l'attendait dans le couloir. Il était roué et savait que son comportement criminel avait été évoqué.

— Ce gamin ment comme il respire, dit-il en pointant un doigt accusateur en direction de Tristan. Il a toujours été puni pour de bonnes raisons. Vous feriez mieux de le laisser ici, vous pouvez me croire.

McAfferty lui lança un regard assassin puis, incapable de trouver les mots propres à exprimer sa rage, lui flanqua une claque retentissante.

— Un seul de ces garçons vaut cent misérables dans votre genre, cracha-t-elle. Et je vous promets d'adresser au directeur une lettre officielle concernant vos agissements, espèce de sale nabot.

Elle n'avait rien d'une lutteuse de foire, mais la colère avait décuplé ses forces. Ébranlé par la gifle, Williams tituba en arrière et s'adossa au mur du couloir.

McAfferty prit une profonde inspiration, puis se tourna vers Tristan et Martin.

— *Courez* chercher vos affaires, ordonna-t-elle. Et tâchez de trouver quelques couvertures pour vous tenir au chaud pendant le voyage. Je vous attends dans la voiture.

Sourire aux lèvres, les garçons s'engagèrent dans l'escalier menant au premier étage. Williams ne les quitta pas du regard, mais ne décrocha pas un mot.

CHAPITRE QUATRE

Assis sur une balustrade devant le cabinet dentaire, Marc attendait Henderson avec une irritation croissante. Il ne sentait plus ni sa bouche ni la base de son nez. Il gardait les mains dans les poches de ses culottes courtes pour les protéger du froid. Le docteur Murray lui avait barbouillé le menton de teinture d'iode afin de prévenir tout risque d'infection.

Comme toutes les rues de Londres, Harley Street était sur le pied de guerre. Les bordures de trottoir et les troncs d'arbre avaient été badigeonnés de peinture blanche afin de permettre aux passants et aux automobilistes de se déplacer malgré le black-out imposé chaque nuit par les autorités. Les commerçants avaient renforcé leurs vitrines à l'aide de ruban adhésif placé en croix. Des sacs de sable étaient entassés devant les porches. Les véhicules motorisés étaient équipés de pare-chocs blancs, et de caches destinés à réduire la surface des phares.

Il était trois heures et demie de l'après-midi, mais les médecins qui faisaient la réputation d'Harley Street, pressés de regagner leurs maisons de banlieue avant la tombée de la nuit, étaient déjà en train de fermer leurs cabinets. En voyant ces spécialistes et leurs charmantes assistantes quitter Londres avec tant d'empressement, Marc se sentit gagné par l'anxiété à l'idée de devoir y demeurer toute la nuit.

Où Henderson était-il passé ?

Il avait prévu de déjeuner avec le vice-maréchal Walker, mais il avait promis de venir le chercher à trois heures au plus tard.

Peu avant quatre heures, les lumières du hall devant lequel il patientait s'éteignirent. Le docteur Murray en sortit, un trousseau de clés à la main, et en verrouilla la porte grillagée.

— Tu es toujours là ? s'étonna-t-elle. Tu aurais mieux fait d'attendre dans la salle d'attente, *poppet*. Tu vas finir par prendre froid.

— *Poppet* ? répéta Marc, un peu perdu.

— C'est un mot anglais, sourit le docteur Murray. Un terme affectueux, comme *mon ange*, ou *mon chéri*.

— Oh, d'accord. Mais ne vous inquiétez pas pour moi. Henderson ne va pas tarder. Sa réunion a duré plus longtemps que prévu, voilà tout.

— Sais-tu où il se trouve ? Nous pourrions essayer de le joindre depuis le téléphone de la réception.

Marc secoua la tête.

— Tout ira bien. Ne vous inquiétez pas.

— Si tu le dis… mais surtout n'oublie pas mes conseils : ne te sers pas de tes incisives avant que la plaie ne soit complètement refermée.

Sur ces mots, le docteur Murray traversa la rue et monta à bord d'une Wolseley beige.

Bientôt, le ciel s'assombrit. Marc ne sentait plus ses orteils. Il régnait dans la rue un calme irréel. Désormais convaincu qu'Henderson l'avait abandonné, il décida de rejoindre pas ses propres moyens la chambre qu'ils partageaient à l'*Empire and India Club*.

Il tâcha de se remémorer le trajet effectué plus tôt dans la journée, mais l'absence d'éclairage public compliquait considérablement l'exercice. Un volontaire de la défense passive, coiffé d'un casque marqué d'un W blanc, lui indiqua la direction de Pall Mall. Il fit une brève halte pour jeter un œil à la vitrine obscure du magasin de jouets *Hamley's*, puis il se présenta à l'entrée du club.

Le portier hautain le prit pour un enfant des rues en quête de nourriture. Marc dut répéter cent fois qu'il partageait la chambre soixante-treize avec un membre du club avant qu'un steward ne soit dépêché au quatrième étage pour s'assurer qu'il disait vrai.

— Eh, mais c'est mon pote Marco Polo ! balbutia Henderson en descendant l'escalier d'un pas hésitant.

Il oscillait sur l'épais tapis pourpre, s'agrippait à la main courante comme à une bouée de sauvetage. Un pan de sa chemise dépassait de sa braguette ouverte.

— Je suis désolé, vieux brigand. Tu m'es complètement sorti de la tête.

— On dirait que vous vous êtes bien amusé, lança Marc sur un ton aigre. La réunion s'est bien passée ?

Henderson n'eut pas le temps de répondre. Le portier se rua sur lui pour lui demander avec insistance *de bien vouloir adopter une tenue vestimentaire conforme aux règles du club.*

Marc brava les lourds effluves d'alcool et suivit son protecteur jusqu'aux toilettes. Il avait passé des heures dans le froid. Ses doigts étaient si engourdis qu'il eut toutes les peines du monde à défaire les boutons de sa braguette.

— Je déteste ces foutues culottes courtes, dit-il en se soulageant dans un urinoir. Je ne sens plus mes genoux.

— C'est comme ça que s'habillent les jeunes Anglais jusqu'à leur quatorzième anniversaire, ricana Henderson, posté devant un miroir, en rectifiant sa coiffure. Chez nous, faire souffrir les enfants est une tradition ancestrale. Plus sérieusement… je suis navré de t'avoir oublié. Comment vont tes dents ?

— Ça saigne encore un peu. Et ça fait mal, maintenant que les effets de l'anesthésie commencent à se dissiper. Alors, le vice-maréchal a accepté ? On va pouvoir sauter en parachute ?

En dépit de son état d'ivresse avancée, Henderson choisit soigneusement ses mots. Marc était l'un des six agents de sa première promotion. Il craignait de saper le moral de l'unité en évoquant l'enquête administrative dont elle était la cible, une procédure qui risquait fort de déboucher sur sa dissolution.

— Walker ne peut rien faire pour nous, dit-il. Il m'a confirmé qu'il nous fallait passer par les canaux officiels de la Royal Air Force.

Marc poussa un profond soupir et se dirigea vers le lavabo.

— Mais ce matin, dans le train, vous avez dit que la surintendante McAfferty s'était cassé les dents sur la procédure légale, et que cette réunion était absolument *cruciale*.

Henderson éclata de rire.

— Tu es vraiment un petit malin ! brailla-t-il. On ne te la fait pas, n'est-ce pas ? Bon, disons que le vice-maréchal Walker est un misérable gratte-papier. Une saleté de bureaucrate. Il est à la tête du SOE depuis huit mois, et à ce jour, il n'a fait que distribuer des circulaires. Dès que quelque chose ne tient pas dans une chemise cartonnée, il est complètement dépassé.

Marc jeta un regard anxieux vers la porte des toilettes. Il craignait que ces éclats de voix n'attirent l'attention du portier.

— Parlez moins fort, dit-il. Vous ne pouvez pas vous permettre de vous saouler de la sorte. Si vous vous étiez comporté ainsi lorsque nous étions en France, nous serions tous morts.

— Ici, c'est différent, expliqua Henderson. En opé-ration, les règles sont claires. Il s'agit de faire marcher sa cervelle et de rester en vie. Ça, c'est mon rayon. Mais je ne peux rien faire contre les bureaucrates. Ils ont planté leurs canines dans mon cou et ont aspiré jusqu'à la dernière goutte de mon sang.

— Calmez-vous, dit Marc d'une voix apaisante. Pour le moment, allons dormir. Nous parlerons de tout cela avec Miss McAfferty demain, dès notre retour à la base.

Henderson lui lança un sourire chaleureux.

— Tu es un peu le fils que je n'ai jamais eu, tu sais. Pour Marc, qui avait perdu ses parents, cette déclaration était lourde de sens. Si seulement Henderson n'avait pas été saoul comme un cochon...

— Allez, accompagne-moi au bar, dit ce dernier en poussant la porte avec une telle violence qu'elle frappa lourdement le mur du hall. On va s'en jeter un, tous les deux.

— Je n'ai que douze ans, protesta Marc.

Henderson partit d'un rire sauvage et gravit les premières marches de l'escalier. Le portier lui adressa un regard noir.

— Je le connais, cette tête de nœud, avec ses grands airs, bégaya-t-il en adressant un salut militaire à la tête de rhinocéros empaillée exposée sur le palier. Je suis certain qu'il va me traîner devant le comité de discipline de ce club minable.

Sourd aux suppliques de son protégé qui l'implorait d'aller se coucher, il poursuivit son ascension jusqu'au bar du premier étage.

À bout d'arguments, Marc rejoignit seul la chambre du quatrième, une pièce confinée à l'aspect spartiate disposant de lits superposés, d'un lavabo à la tuyauterie rouillée et d'une fenêtre sale donnant sur St James's Square. Par chance, compte tenu de sa position élevée, elle bénéficiait de la chaleur produite par les étages inférieurs.

En contemplant son reflet dans le miroir, Marc découvrit les traces de sang séché et de teinture d'iode qui souillaient la partie inférieure de son visage. Hélas, la femme de ménage avait emporté le linge de bain et omis de le remplacer. Se souvenant avoir remarqué une pile d'essuie-mains dans la salle de bains collective située à l'étage, il s'y précipita et s'empara de deux serviettes.

— Grand dieu ! s'exclama un homme dans son dos. Quelle infamie !

L'individu, un vieillard arborant une moustache rousse soigneusement taillée, portait un pantalon d'officier et un maillot de corps blanc. Ses joues étaient maculées de mousse à raser.

— Qu'y a-t-il, monsieur ? demanda Marc.

— Par tous les saints, qu'est-ce que tu fabriques, mon garçon ? tonna l'inconnu, dont les mots claquaient comme des coups de fusil.

— Il n'y a pas de serviettes dans ma chambre.

— Pardon ? Parle plus fort, nom d'un chien !

Marc comprit que le vieil officier était un peu dur de la feuille.

— Pas de serviettes ! répéta-t-il. La femme de ménage a oublié !

— Ces serviettes sont destinées à rester là où elles sont, dit l'homme en lui arrachant les essuie-mains. Aucune exception ne peut être tolérée, quelles que soient les circonstances, en vertu de l'article quatorze, paragraphe neuf F.

Marc était stupéfait. Pourquoi l'officier réagissait-il aussi vivement ? À l'évidence, le vol de serviettes était à ses yeux un crime comparable au meurtre et aux actes de barbarie.

— Je veux juste me laver le visage, expliqua-t-il.

— Tu es français, n'est-ce pas ? demanda le vieil homme en le toisant d'un œil suspicieux.

— Oui, monsieur.

Le regard méprisant de l'officier en disait long sur ses sentiments à l'égard de ses voisins d'outre-Manche : pour lui, être français était pire que de s'emparer frauduleusement d'un essuie-mains.

— Tu te laveras le visage *ici même*, et te sécheras *ici même*. Mais il n'est pas question que je te laisse dérober ces serviettes ! Non mais où va le monde ? Qu'est-ce qui ne tourne pas rond chez toi, mon garçon ?

Qu'est-ce qui ne tourne pas rond chez vous ? pensa Marc, mais il préféra ne pas insister.

Il se remémora les paroles d'Henderson concernant les gratte-papier et les bureaucrates à l'esprit mesquin. Cet étrange individu semblait en constituer le parfait prototype.

— Bien, si vous insistez, je vais me laver ici, dit-il en secouant la tête avec consternation.

Il se planta devant un lavabo et commença à déboutonner sa chemise.

CHAPITRE CINQ

Au cours des six mois qui avaient suivi l'entrée en guerre de la Grande-Bretagne, les restrictions d'éclairage liées au black-out avaient causé davantage de victimes sur la route que les combats et les bombardements. La population s'était peu à peu adaptée, mais la conduite de nuit restait une activité dangereuse. La neige et le verglas n'arrangeaient rien à l'affaire.

La surintendante McAfferty avait prévu de regagner la base avant la tombée de la nuit, mais les difficultés qu'elle avait rencontrées pour se rendre au pays de Galles la condamnaient à rouler dans l'obscurité, à faible vitesse, le nez collé contre le pare-brise.

Emmitouflés dans leurs couvertures, Tristan et Martin étaient pelotonnés l'un contre l'autre sur la banquette arrière. Tandis qu'ils bavardaient dans leur langue natale, leur souffle se transformait en vapeur au contact de l'air froid.

Martin se livra sans retenue à McAfferty : il n'omit aucun détail de sa courte existence, depuis la mort de sa mère, survenue peu après sa naissance, aux traitements cruels que lui avait infligés Mr Williams.

Aux alentours de dix-neuf heures, la surintendante fit halte à un poste de garde dont la barrière de bois interdisait l'accès à une route de campagne. Tristan déchiffra le panneau peint en jaune et noir planté au bord de la chaussée :

ZONE MILITAIRE
ACCÈS INTERDIT
DANGER – MUNITIONS NON EXPLOSÉES
TOUT INTRUS SERA ABATTU

— Bienvenue à la maison ! lança joyeusement McAfferty tandis que la sentinelle soulevait la barrière.

Derrière les arbres, on pouvait distinguer les ruines de plusieurs habitations situées dans l'axe du champ de tir d'artillerie. L'Austin parcourut quelques centaines de mètres sur la route cahotante, puis atteignit un village abandonné dont les maisons avaient été condamnées à l'aide de planches. Seuls un corps de ferme et une école toute proche étaient encore habités.

McAfferty se gara entre les deux bâtiments. Elle recommanda aux garçons de prendre garde aux plaques de glace en descendant de la voiture, puis elle les conduisit jusqu'à la maison. Après avoir verrouillé la porte derrière elle, elle s'assit sur la deuxième marche de l'escalier et délaça ses chaussures.

— Mes orteils sont frigorifiés, gémit-elle.

Tristan et Martin l'observèrent en tapant du pied et en se frottant énergiquement les mains.

— On est là ! cria la surintendante en levant les yeux au ciel. Il y a quelqu'un ?

Un garçon aux jambes grêles déboula dans l'entrée. Il portait un ample short blanc et un polo de rugby à rayures bleues beaucoup trop grand pour lui.

— Moins fort, dit-il d'un ton anxieux. Mrs Henderson dort. Elle a la migraine, et elle est de très mauvaise humeur.

— Oh, merci, Paul, sourit McAfferty. Tu as raison. Mieux vaut se montrer discret.

Paul dévisagea les frères Leconte.

— Mrs Henderson est un peu lunatique, expliqua-t-il en pointant un doigt vers le plafond. Et sa chambre se trouve à l'étage, juste au-dessus de nous.

— Mais tu galopes, à ce que je vois, remarqua la surintendante. Ta cheville est guérie ?

Mal à l'aise, Paul se balança d'un pied sur l'autre.

— Ça va mieux, mais ça lance toujours un peu.

McAfferty désigna les nouveaux venus et effectua les présentations.

— Paul, voici nos deux nouvelles recrues, Tristan, et son petit frère Martin. Tristan, Martin, je vous présente Paul, notre tire-au-flanc préféré.

À ces mots, Paul esquissa un sourire coupable puis serra la main de ses camarades.

— Heureux de faire votre connaissance, dit-il.

— Je vais leur préparer un repas chaud. Pendant ce temps, pourrais-tu les conduire à l'école et leur présenter les autres membres de l'unité ?

— Je dois finir de *leur* donner à manger. Ordre de Mrs Henderson. J'en suis à la moitié, et je ne voudrais pas m'emmêler les pinceaux.

— Très bien. En ce cas, profites-en pour leur faire découvrir nos petits compagnons à huit pattes. Rien ne presse. Tu leur feras visiter l'école lorsqu'ils se seront restaurés.

— Qu'est-ce que vous allez préparer ? demanda Paul. J'ai un petit creux, moi aussi.

— Tout dépend de ce que je trouverai dans les placards. Rien de compliqué, en tout cas. Vous aimez le bacon, les garçons ?

Tristan hocha la tête.

— Nous n'avons rien mangé depuis hier.

— Parfait, ça va vous requinquer, sourit McAfferty en se dirigeant vers la cuisine. Paul, comment fais-tu pour manger autant et rester aussi maigre ?

Tristan et Martin suivirent le garçon le long d'un couloir jusqu'à une véranda délabrée située à l'arrière du bâtiment. Deux radiateurs au kérosène portaient la température de la pièce à trente-cinq degrés.

Des cages de verre étaient alignées le long des murs. En s'approchant, Martin découvrit avec effroi une énorme araignée velue, parfaitement immobile sur son lit de sciure, embusquée sous un morceau de bois vermoulu.

— Wow ! s'étrangla-t-il. Qu'est-ce que c'est que ça ?

— Celle-là, c'est Mavis, une mygale bleu cobalt. Tu vois les reflets bleus sur ses pattes et sur son corps ?

— Tu peux la sortir ? demanda Tristan.

— Très mauvaise idée. Certaines araignées sont effrayantes, mais relativement inoffensives. Les mygales bleu cobalt sont de vraies sauvages. Elles attaquent sans la moindre raison. Leur poison n'est pas mortel mais leurs crochets font quatre-vingts millimètres de long. Celle-là, c'est une femelle. Les mâles sont plus ternes et plus petits.

— Quelle est la plus grosse ? demanda Martin en passant en revue les vitrines.

— Celle-ci. La mygale de Leblond. Mais elle ne sort jamais de son morceau de tuyau. Mrs Henderson a placé des pièges dans les champs pour capturer des mulots. Elle lui en donne un tous les deux ou trois jours.

— Qu'est-ce qu'elles fichent ici, toutes ces araignées ?

— Mrs Henderson travaillait au département d'entomologie du zoo de Londres, expliqua Paul. Quand la guerre a éclaté, les autorités ont donné l'ordre de tuer tous les animaux dangereux, comme les scorpions et les serpents venimeux.

— Pour quelle raison ? demanda Martin.

— À cause des risques d'évasion de ces charmantes petites bêtes en cas de bombardement du zoo. Mais Mrs Henderson n'a pas pu se résoudre à supprimer toutes ses araignées, alors elle a évacué secrètement ses spécimens préférés. Elle les a d'abord conservées dans son appartement, et maintenant, elles sont réunies ici.

Sur ces mots, il dévissa le couvercle d'un bocal contenant des grillons vivants, en fit tomber quelques-uns dans une vitrine peuplée d'araignées aux pattes orangées, puis inscrivit l'heure et le numéro du vivarium sur un calepin.

— Martin, tu peux donner un ver de terre à Maxine, si tu veux. C'est un bébé mygale du Mexique. Elle n'est pas très agressive, mais ne la touche pas, parce que ses poils peuvent provoquer des brûlures.

— Beurk, frissonna le petit garçon en saisissant du bout des doigts le lombric que Paul venait de piocher dans un tonneau de compost placé près de la porte.

— Elle est plutôt vive, alors tu dois lâcher le ver dans la vitrine dès que j'aurais soulevé le couvercle. Tu es prêt ?

À la déception générale, Maxine s'approcha de la larve, en tâta brièvement la surface puis battit en retraite à l'autre extrémité de la vitrine.

— On s'inquiète un peu pour elle, expliqua Paul. Selon Mrs Henderson, c'est une araignée du désert. Elle supporte mal l'humidité ambiante.

— Elle va mourir ? demanda Tristan.

— On va essayer de la placer dans une pièce plus sèche, peut-être dans l'un des cottages abandonnés. Le problème, c'est qu'il lui faut un environnement chaud. Une cheminée pourrait faire l'affaire, mais elle a aussi besoin de soleil, et Mr Henderson est déjà

58

furieux qu'une pièce *entière* soit consacrée aux araignées de sa femme. On va avoir du mal à le persuader d'en aménager une seconde.

Les frères Leconte perdirent soudain tout intérêt pour cette conversation. Une délicieuse odeur d'œufs brouillés et de bacon grillé leur chatouillait les narines.

— Quelqu'un peut-il venir m'aider à beurrer les tartines ? lança McAfferty depuis la cuisine.

CHAPITRE SIX

Allongé sur la couchette supérieure, Marc cherchait vainement le sommeil. Il s'inquiétait pour Henderson, et le sang qui coulait dans sa gorge le contraignait à se redresser toutes les deux minutes pour cracher dans un mouchoir. Las de contempler le plafond, il s'accroupit près de la fenêtre et écarta l'épais rideau noir imposé par les autorités en raison du black-out.

Les bombes allemandes s'abattaient sur les docks et le quartier de la City, à trois kilomètres à l'est, mais la chambre était orientée au nord et Marc n'entendait que des détonations lointaines. De temps à autre, un camion de pompiers remontait St James's Square en faisant tinter sa cloche. On pouvait apercevoir deux silhouettes casquées postées sur le toit d'un immeuble de bureaux, de l'autre côté du parc.

On frappa à la porte. Marc se dressa d'un bond, se cogna le gros orteil contre un pied du lit et traversa la chambre en boitillant. Vêtue d'une robe noire et d'un tablier bordé de dentelle, une jeune fille élancée

60

d'environ dix-sept ans se tenait sur le palier. Elle portait un plateau où étaient disposés une assiette de soupe à la tomate, un bol de fromage râpé et quelques tranches de pain de mie.

— Mr Henderson pensait que vous auriez une petite faim, expliqua-t-elle. Je le pose sur le lit du bas ?

Marc actionna l'interrupteur. Lorsque les effluves de soupe atteignirent ses narines, son estomac émit un grondement désespéré.

— Oui, sur le lit, bégaya-t-il en réalisant qu'il ne portait qu'un caleçon et des chaussettes. Et lui, dans quel état est-il ?

La serveuse sourit.

— Votre père m'a offert un joli pourboire et m'a chargée de vous amener cette petite collation.

— Henderson n'est pas mon père. Je suis orphelin. Mais c'est lui qui s'occupe de moi, maintenant.

— Oh, comme c'est gentil de sa part. C'est un homme tout à fait comme il faut, même si j'ai l'impression qu'il a un peu trop bu, ce soir.

— Il a eu une rude journée, expliqua Marc en goûtant une cuillerée de soupe. Ouh, c'est chaud ! Mais délicieux…

— J'en suis ravie, dit la jeune fille. Déposez le plateau sur le palier lorsque vous aurez terminé. Et j'espère que votre dent ne vous empêchera pas de passer une excellente nuit.

— Demain matin, je crois que mes gencives seront plus en forme que le crâne d'Henderson.

La jeune fille lâcha un rire cristallin, tourna les talons et claqua la porte derrière elle.

Marc s'assit sur la couchette du bas, ajouta le fromage et quelques morceaux de pain dans la soupe, puis commença à manger en évitant soigneusement tout contact entre la cuiller et sa mâchoire blessée.

Le fragment de racine le faisait souffrir depuis quatre mois, et il était heureux que la douloureuse opération d'extraction appartienne désormais au passé. Bercé par la chaleur ambiante et une délicieuse sensation de satiété, il lâcha un long bâillement puis approcha l'assiette creuse de ses lèvres pour avaler les dernières gouttes de soupe.

À cet instant précis, un cri lancé depuis le poste d'observation antiaérienne retentit dans tout St James's Square :

— Alerte !

Marc éteignit la lumière et se précipita vers la fenêtre. On n'y voyait pas grand-chose, mais le grondement caractéristique d'un bombardier se fit entendre. L'appareil fut bientôt si proche que les vitres se mirent à vibrer.

Quelques instants plus tard, un choc sourd, plus assourdissant que tout ce qu'il avait jamais entendu, ébranla le bâtiment. Le sol commença à trembler. L'un des montants de bois du lit se brisa. Les tuyaux du lavabo émirent un grincement sinistre. Dans la rue, un membre de la défense passive tourna la manivelle d'une sirène destinée à avertir la population d'un bombardement imminent.

Aussitôt, les occupants du quatrième étage se ruèrent dans le couloir puis se précipitèrent dans l'escalier.

— Regagnez l'abri dans le calme ! répétait le portier en agitant une cloche.

Marc enfila à la hâte ses culottes courtes, son maillot de corps et sa chemise, puis plongea la tête dans son pull-over. Alors, trois explosions successives secouèrent l'immeuble, produisant un crescendo monstrueux, si retentissant qu'il craignit qu'une quatrième bombe ne tombe pile sur le toit du club.

Il ramassa son sac de cuir et ouvrit la porte de la chambre. Les lumières du couloir chancelèrent puis s'éteignirent pour de bon. Il s'élança dans les ténèbres et percuta de plein fouet le vieil officier à moitié sourd auquel il avait eu affaire dans la salle de bains collective.

— Fais attention, mon garçon, dit ce dernier, qui semblait dans de bien meilleures dispositions. Tu es encore là ? Tu ferais mieux de descendre à l'abri sur-le-champ.

— Il fallait bien que je m'habille, expliqua Marc en marchant à l'aveuglette vers la cage d'escalier.

Une pluie de petits objets métalliques frappa le toit, balayant les tuiles avant de dégringoler dans les gouttières. L'un des fragments atterrit sur la corniche de la fenêtre du palier situé entre le quatrième et le troisième étage. Il émettait une vive lumière blanche qui perçait le rideau de black-out et projeta des rais aveuglants dans le couloir obscur.

— Foutues bombes incendiaires, gronda le militaire avant de se précipiter dans la salle de bains et de s'emparer d'un balai. Descends, fiston ! Je vais m'occuper de ces saletés.

Les attaques allemandes avaient gagné en efficacité depuis le début de la campagne de bombardement. La dernière tactique de la Luftwaffe consistait à équiper les appareils formant la première vague de chaque raid de bombes chargées de minuscules sous-munitions incendiaires. Les sinistres qui en résultaient ne se contentaient pas de détruire les cibles visées : elles permettaient aux avions chargés de bombes à fragmentation de localiser aisément leurs objectifs.

Marc avait vu un film d'information concernant ces fragments incendiaires au cinéma. Il savait que le seul moyen d'en limiter les effets consistait à les repousser sur une chaussée ou un jardin public avant que le bâtiment touché ne s'enflamme, puis à les couvrir de sable ou à les éteindre à l'aide d'une lance d'incendie.

Le vieil officier tira le rideau, ouvrit la fenêtre, repoussa la sous-munition incandescente à l'aide du balai puis gravit quatre à quatre les escaliers afin d'accéder au toit.

Au moment où Marc atteignait le palier du deuxième étage, un éclair provenant des étages supérieurs le contraignit à fermer les yeux. Au même instant, le militaire poussa un hurlement.

Marc jeta un regard circulaire dans l'espoir qu'un adulte se trouvait dans les parages, mais il avait tardé à évacuer sa chambre, et tous les occupants du bâtiment se pressaient devant la sortie, deux étages plus bas.

— Est-ce que ça va, là-haut ? cria-t-il.

Pas de réponse. Il se pencha par-dessus la balustrade et constata que la fumée avait envahi les étages supérieurs.

— Eh, vous m'entendez ? insista-t-il, sans plus de succès.

Il enfouit son visage dans le col de son pull et remonta jusqu'au troisième étage. Les flammes jetaient des lueurs orangées sur les murs du couloir. L'atmosphère, déjà, était irrespirable, la chaleur à peine supportable.

Il courut jusqu'au quatrième où il lui sembla que ses vêtements allaient prendre feu. Il se trouvait sans doute tout près de l'officier, mais il lui était physiquement impossible de poursuivre son ascension.

Au moment où il tournait les talons, il entendit un râle provenant du plancher. Il se laissa tomber à quatre pattes et tâtonna dans la fumée impénétrable. Soudain, ses mains rencontrèrent le crâne chauve du militaire.

Marc, qui retenait son souffle depuis une vingtaine de secondes, le saisit par le col de la veste et le tira de toutes ses forces. En dépit de son jeune âge, il parvint à le faire glisser jusqu'au troisième, mais, à bout de souffle, dut l'abandonner pour courir se réfugier un étage plus bas, où l'atmosphère était respirable. Il

65

frotta ses yeux rougis, gonfla ses poumons et plongea à nouveau dans la fumée.

Il perdit quelques précieuses secondes à localiser l'officier puis agrippa fermement les plis de sa chemise. Le corps de l'homme encaissait de sérieux coups à chaque marche, mais la situation ne permettait pas à Marc de se soucier de son confort.

À demi asphyxié, il parvint à rejoindre le palier du deuxième étage, là où, quelques minutes plus tôt, il avait repris son souffle, mais toute particule d'oxygène semblait en avoir été chassée par la fumée. Son visage était couvert de cloques. Le manque d'air lui faisait tourner la tête.

— Ça va, petit ? fit une voix étouffée dans son dos.

Alors, il bascula en arrière et atterrit dans les bras muscles d'un sapeur-pompier. Incapable de prononcer un mot, il tendit la main vers l'officier.

— Nom d'un chien, c'est le général Hammer ! s'exclama un second secouriste.

Le pompier hissa Marc sur ses épaules, dévala les marches jusqu'au rez-de-chaussée et quitta le club par la sortie de service. Il l'étendit sur la pelouse de St James's Square, en bordure de la rue, entre deux camions de lutte anti-incendie,

— Reste ici, dit-il. Quelqu'un va venir s'occuper de toi.

Allongé sur le dos, Marc contempla le spectacle de dévastation qui s'offrait à ses yeux. Plusieurs bâtiments étaient en feu. Des sous-munitions incendiaires, qui avaient achevé leur course dans les arbres, illuminaient le parc. Un tourbillon de fumée noire s'élevait au-dessus de l'*Empire and India Club*.

Une infirmière s'accroupit à son chevet.

— Tu as récolté quelques brûlures superficielles, mais rien de bien grave, le rassura-t-elle. Comment te sens-tu ?

— Ma gorge, lâcha-t-il dans un râle. J'ai du mal à respirer.

— Bois un peu d'eau, dit la femme en lui tendant une gourde en fer-blanc. Tu as dû inhaler beaucoup de fumée.

Marc leva le récipient et découvrit avec horreur que ses mains étaient couvertes de larges ampoules. Il ne sentait pas la douleur, mais il savait que ce n'était qu'une question de minutes.

Des pompiers déroulèrent une lance d'incendie et commencèrent à asperger les fenêtres du deuxième étage. Marc aperçut l'homme qu'il avait sauvé des flammes se traînant vers une ambulance. Il semblait affaibli, mais parvint à se hisser à bord du véhicule sans l'aide des deux secouristes qui l'encadraient.

L'infirmière les interpella.

— Ce garçon souffre de brûlures, et il a inhalé de la fumée, expliqua-t-elle. Apportez une civière. Il faut le conduire à l'hôpital.

— Je peux marcher, protesta Marc en faisant mine de se redresser.

La jeune femme le força à s'étendre.

— Certainement pas, jeune homme, répliqua-t-elle.

— Où sont tes parents ? demanda l'un des ambu-
lanciers.

— Mon père doit être dans les parages, toussa Marc.
Il s'appelle Charles Henderson.

CHAPITRE SEPT

Le ventre tendu à craquer, les frères Leconte suivirent Paul jusqu'à l'école voisine, où les jeunes agents avaient établi leurs quartiers. Ils avaient l'impression de flotter en plein rêve éveillé. En ces lieux paisibles, ils n'avaient pas à demeurer sur leurs gardes. La surintendante et leur guide parlaient français, et Tristan était ravi de pouvoir enfin entretenir une conversation sans chercher ses mots.

Martin se hissa sur un muret, sauta à pieds joints dans une flaque et découvrit à ses dépens qu'il en avait sous-estimé la profondeur.

— Ça t'apprendra ! s'esclaffa Tristan avant de s'écarter vivement de son petit frère, qui donnait des coups de pied vengeurs dans l'eau boueuse afin de l'éclabousser.

Avant que le gouvernement ne réquisitionne le village pour y établir un champ de tir réservé à l'artillerie, l'école avait accueilli les enfants de cinq à quatorze ans des localités environnantes. Le vestibule comportait trois portes. Celle du milieu donnait sur le préau ; celle de droite menait au bureau du directeur et aux locaux du personnel ; celle de gauche permettait d'accéder à quatre salles de classes réparties le long d'un couloir.

À sa fermeture, l'établissement avait été vidé de son mobilier, mais il restait en excellent état. Les murs venaient d'être repeints, et il flottait dans l'air un agréable parfum de cire.

— Mr Takada insiste pour que tout reste impeccable, expliqua Paul en gravissant l'escalier jusqu'au premier étage.

— Qui ça ?

— L'instructeur, un Japonais, répondit Paul en hochant la tête. Sûr que l'entraînement nous rend plus forts, mais c'est un véritable esclavagiste, celui-là.

— Depuis combien de temps vous préparez-vous ?

— On a commencé fin octobre, dans un foyer du nord de Londres, puis la surintendante McAfferty a déniché ce village, et on a déménagé il y a quelques semaines.

Les trois garçons atteignirent le palier du premier étage. La température était agréable. Un poste de radio diffusait un air de swing interprété par un big band. Une petite fille d'environ six ans armée d'un oreiller pourchassait un garçonnet en poussant des cris perçants.

Tristan était enchanté. Paul affirmait que l'entraînement était éreintant, mais les occupants du bâtiment semblaient vivre heureux, respectés et bien soignés. Le couloir de droite donnait accès à quatre anciennes salles de classe. La première avait été récemment reconvertie en salle de bains collective. La porte de la suivante était ornée de l'inscription SŒURS & JUNIORS, soigneusement tracée à la peinture émail. Des vêtements séchaient sur des fils tendus entre les cadres de lits superposés.

— C'est sans doute là que tu seras installé, Martin, expliqua Paul.

— Avec des filles ? protesta le petit garçon, le nez plissé en signe de dégoût.

La troisième salle était inoccupée.

— Ce dortoir est réservé aux groupes B et C, expliqua Paul. J'appartiens au groupe A, avec cinq autres recrues. Tristan, si tu décides de t'engager, tu feras partie du groupe B. Tiens, voilà ma chambre.

Il pénétra dans la pièce et cria pour se faire entendre malgré le volume élevé de la radio :

— Bonsoir tout le monde ! Je vous amène des nouveaux.

Les recrues avaient tendu des draps et de vieux rideaux entre les six lits afin de se ménager un semblant d'intimité. Les murs de chaque espace ainsi délimité étaient décorés de photos de famille et de clichés découpés dans des magazines.

Luc, un agent âgé de treize ans, était installé près de la porte. Il portait une tenue identique à celle de Paul, mais la comparaison n'allait pas plus loin. Si ce dernier était filiforme, son camarade, étonnamment musclé, flirtait avec l'embonpoint. Son biceps frémit lorsqu'il tendit le bras en direction de Tristan.

— Heureux de faire ta connaissance, dit-il en serrant sa main de toutes ses forces.

Tristan, qui comprit aussitôt que ce geste était un moyen d'éprouver sa résistance à la douleur, ne cilla pas.

— Alors, Paul, lança Luc sur un ton méprisant, comment vont tes *pauvres* petites chevilles ? Ce n'était pas trop dur, de s'occuper des araignées, bien au chaud, pendant qu'on en bavait à l'entraînement ?

Craignant qu'une dispute n'éclate, Paul préféra ne pas répliquer. Il se dirigea vers un espace ordonné, au mur décoré de la reproduction d'une œuvre de Picasso. Des livres étaient soigneusement empilés sous un lit au carré.

— J'aime l'ordre, dit-il. Marc occupe le coin juste à côté, mais il se trouve actuellement à Londres, pour une visite chez le dentiste. Lui, de l'autre côté, c'est Joël. Ne t'approche pas trop de lui, il pue, et c'est un vrai dégueulasse.

L'intéressé quitta des yeux son magazine de bandes dessinées et adressa un vague signe de la main aux nouveaux venus. Âgé de quatorze ans, sa haute stature et son large torse lui conféraient une allure athlétique. Pour quelque raison inconnue, il était le seul à ne pas être passé sous la tondeuse du coiffeur. Ses cheveux blonds se dressaient en épis dans toutes les directions.

— Et pour finir, le petit nid d'amour, annonça Paul en tirant un rideau de velours poussiéreux récupéré dans un cottage abandonné. Ma sœur Rosie et son fiancé américain PT, le plus âgé d'entre nous.

PT, quinze ans, était assis sur le lit. Rosie, de deux ans sa cadette, était pelotonnée contre lui. Son visage ressemblait beaucoup à celui de Paul, mais ses épaules étaient larges et sa poitrine précocement développée.

— Ne te gêne surtout pas ! protesta-t-elle, indignée, en s'écartant brusquement de son petit ami. On ne t'a jamais appris à frapper avant d'entrer ?

— Frapper sur *quoi* ? répliqua Paul. Sur le rideau ? Et si vous n'écoutiez pas la radio aussi fort, vous m'auriez entendu présenter Tristan et Martin à Luc et Joël.

PT se pencha pour baisser le volume de l'appareil, exhibant une cicatrice circulaire au biceps droit.

— On t'a tiré dessus ? demanda Tristan.

— Ouais, je m'en suis pris une par-derrière, quand on était en mission en France, expliqua PT.

Il avait lâché ces mots sans un regard pour son interlocuteur, comme s'il s'agissait d'un incident sans importance. Rosie frappa du plat de la main sur le matelas et éclata de rire.

— Il faisait moins le malin, sur le moment ! lança-t-elle.

— Au moins, *lui*, il ne hurle pas qu'il se vide de son sang quand il a de la sauce au chocolat sur les jambes, fit observer Paul.

Martin sourit.

— J'aimerais avoir une cicatrice comme celle-là, quand je serai grand.

Paul et Tristan s'esclaffèrent.

— Pour toi, le mieux serait de recevoir une balle en plein front, ricana ce dernier. Tu auras une belle cicatrice, bien visible, à l'avant et à l'arrière, et ton cerveau est si petit qu'il ne risque pas grand-chose.

— Très drôle, gronda Martin en considérant le chemisier rayé et les culottes féminines suspendus à un fil à linge, près du lit de Rosie. Mais... je croyais que les filles ne pouvaient pas devenir agent ?

Le petit garçon ignorait qu'il venait de soulever une question épineuse.

— Selon le règlement, dit Paul. Mais Rosie a lourdement insisté.

— Ils seront bien obligés de le modifier, ce fichu règlement. Je participe à l'entraînement à titre expérimental, mais je suis meilleure que les garçons dans bien des domaines. Henderson dit qu'il permettra à d'autres filles de rejoindre l'organisation si je réussis les épreuves de qualification et si je donne satisfaction pendant une mission sur le terrain.

— Ça ne prouvera rien du tout ! cria Joël, à l'autre bout du dortoir. Rosie n'est pas vraiment une fille. C'est une dure à cuire.

— Ton point de vue n'intéresse personne, répliqua Rosie, visiblement blessée par cette remarque.

— On poursuivra cette discussion plus tard, dit Paul en se tournant vers Tristan. Pour le moment, il faut qu'on te trouve un endroit pour dormir. Je vais aller chercher des couvertures, et on te choisira un lit dans le dortoir du groupe B.

— Je ne veux pas coucher dans la chambre des filles, gémit Martin. Je ne pourrais pas plutôt rester avec Tristan ?

— Vu que vous ne faites pas encore officiellement partie de l'organisation, je pense que c'est possible, pour cette nuit.

— J'ai déjà pris ma décision, annonça Tristan. Tu n'imagines même pas l'endroit d'où nous venons. J'ai le goût du risque, et je n'ai pas peur de souffrir à l'entraînement. Tout ce que je demande, c'est qu'on me traite avec respect.

Paul s'engagea dans le couloir et tomba nez à nez avec Mr Takada. L'instructeur était à peine plus grand que Tristan. Son visage anguleux et ses cheveux noirs plaqués en arrière lui donnaient un air sinistre. Il portait un pantalon militaire, de petites lunettes rondes et un maillot de corps blanc laissant entrevoir un torse glabre.

Takada ne connaissait pas un traître mot de français, la langue natale de la majorité des recrues. Il employait un anglais émaillé de mots japonais. Bien souvent, compte tenu de son fort accent, ses ordres étaient totalement incompréhensibles, ce qui rendait l'entraînement particulièrement éprouvant.

— Vous êtes les nouveaux, dit en effectuant une brève révérence. Soyez les bienvenus.

— On est bien contents d'être ici, répondit Martin, qui avait pris l'habitude de parler au nom de son frère lorsque la conversation se déroulait en anglais.

— Je viens du Japon. Je suis ici pour faire de vous des combattants. Mes méthodes sont dures, mais efficaces. Je serai juste, tant que vous n'essaierez pas de vous dérober à vos devoirs.

Martin se pencha vers son frère et lui parla en français.

— Tu as tout compris ?

— L'essentiel, répondit Tristan avant de s'adresser à l'instructeur en anglais. Je suis prêt à travailler dur pour vous satisfaire, monsieur.

Takada sourit puis s'inclina à nouveau. Mais lorsque les garçons se remirent en route, le ton de sa voix changea radicalement.

— Restez ici, *Paul*, ordonna-t-il. Vous deux, patientez dans le dortoir inoccupé.

Les frères Leconte s'exécutèrent. Désormais seul en présence de l'instructeur, Paul baissa les yeux.

— Comment va votre cheville ? Beaucoup mieux, à ce que je vois.

— Pas trop mal, répondit le garçon.

Il souleva son pied gauche, fit jouer son articulation puis esquissa une grimace.

— Ça s'améliore de jour en jour. Je pense que je pourrai reprendre l'entraînement en début de semaine prochaine.

— Je crois pour ma part que vous avez beaucoup exagéré la gravité de cette blessure.

— Non, ce n'est pas vrai, plaida Paul d'une voix aiguë, en se tordant nerveusement les mains. C'est Luc qui vous a dit ça ? Vous savez bien qu'il me déteste. Il fait tout pour me causer des ennuis.

Takada martela les verres de ses lunettes du bout des ongles.

— Je ne suis pas aveugle ! gronda-t-il. Je vous ai vu en compagnie de Mrs Henderson, dans le jardin, en train de relever les pièges. Et vous couriez *comme un lapin* !

— Oh, soupira Paul. En fait, la douleur va et vient. Ce sont plutôt des élancements…

Takada lui lança un sourire mauvais.

— Vous reprendrez l'entraînement dès demain, et je signalerai votre comportement à la surintendante McAfferty.

— Bien, monsieur, dit Paul.

Au fond, il s'en sortait plutôt bien. McAfferty n'était pas très portée sur la discipline. Il savait qu'il s'en tirerait avec une énième leçon de morale sur le sens des responsabilités et l'importance du travail en équipe.

— Et vous changerez de binôme pour l'entraînement au combat. Marc est trop gentil avec vous. Vous aurez désormais Luc pour partenaire.

Paul était sous le choc.

— Mais Luc est un *colosse*, monsieur, et il me déteste. Il va m'écraser comme un moucheron !

Takada souleva un sourcil.

— Je n'admets pas que mes élèves mentent. Et comme on dit, ce qui ne nous tue pas nous rend plus forts.

— Soyez sérieux, monsieur, supplia Paul. Je ferai des

tours de la base, je cirerai le parquet des couloirs… Mais je suis si maigre ! Luc est une montagne de muscles !

— C'est exact. Il est beaucoup plus fort que vous. Mais c'est là le prix de vos mensonges. Vous laverez votre déshonneur dans la sueur et les larmes.

CHAPITRE HUIT

Souvent, Marc rêvait de la France occupée, du fracas des bombes, des amoncellements de corps sans vie. Mais cette nuit-là, sa gorge douloureuse et le masque en caoutchouc plaqué sur son visage réveillèrent un souvenir précis. Six mois plus tôt, alors qu'il se trouvait à Paris, un entrepôt de pneumatiques avait été incendié, dégageant une fumée irrespirable. Maintes fois, il s'éveilla en sursaut, suffoquant, une main serrée sur son cou.

— Il faut que tu te calmes, répétait l'infirmière en chef. Tu es sécurité, maintenant.

Mais à chaque fois, le même cauchemar le tirait du sommeil, si bien qu'elle finit par lui administrer une piqûre de sédatif.

Lorsqu'il reprit connaissance, le soleil brillait à la fenêtre. Son front et sa main brûlés le faisaient atrocement souffrir. Sa mâchoire n'avait pas cessé de saigner, et une croûte s'était formée sur son palais. Il avait l'impression qu'on lui avait frictionné la gorge avec une râpe à fromage.

— Bon Dieu, gémit-il.

Il ôta son masque puis frotta ses yeux chassieux.

— Salut champion ! lança Henderson. Tu veux un verre d'eau ?

Marc s'empara fébrilement du récipient. Le liquide rafraîchit sa bouche, mais avaler était un supplice.

Il constata qu'on l'avait déplacé dans une chambre individuelle. Sans doute avait-il crié dans son sommeil et mené la vie dure à ses voisins de dortoir.

— Tu te souviens de ce qui s'est passé ? demanda Henderson.

Marc hocha la tête.

— Est-ce que le vieux militaire s'en est sorti ?

— Il est vivant, mais pas en grande forme. Il n'a pas quitté le service des soins intensifs. L'*Empire and India* est parti en fumée. Selon les pompiers, des pots de peinture et d'huile de lin étaient entreposés sous les combles. Ils ont explosé sous l'effet de la chaleur.

— Oui, j'ai aperçu un éclair, confirma Marc.

— Nous avons formé une chaîne humaine qui nous a permis de sauver la plupart des ouvrages de la bibliothèque et toutes les bouteilles du cellier.

— Et vous, comment ça va ?

— Je ne suis pas très fier de mon comportement, confessa Henderson. Je me suis saoulé comme un cochon, et j'ai eu besoin d'aide pour rejoindre le rez-de-chaussée. Ce n'est qu'une fois dans l'abri antiaérien, de l'autre côté de la rue, que je me suis souvenu que tu existais.

— Pas trop mal au crâne ?

— Disons que j'ai une vilaine gueule de bois.

Malgré la souffrance que lui causaient ses blessures, Marc s'inquiétait pour son protecteur, qui n'était plus que l'ombre de l'agent intrépide rencontré en France au cours de l'été.

Une infirmière releva sa température et lui demanda de replacer le masque à oxygène sur son visage en attendant qu'un médecin l'examine. Affamé, il dégustait prudemment un bol de porridge lorsqu'un officier de la Navy fit irruption dans la chambre. Âgé d'une cinquantaine d'années, il arborait les galons de contre-amiral, un grade qui le plaçait trois échelons au-dessus d'Henderson.

Ce dernier se dressa d'un bond, claqua les talons et lui adressa un salut militaire des plus formels.

— Capitaine de frégate Charles Henderson ! lança-t-il.

— Repos, dit l'inconnu.

Henderson, qui craignait que son comportement de la veille n'ait été signalé à sa hiérarchie, se balançait nerveusement d'un pied sur l'autre.

— Je crois que nous nous sommes déjà rencontrés, osa-t-il, mais je dois avouer que je ne me souviens pas dans quelques circonstances.

— James Hammer, lâcha le contre-amiral en déposant un paquet vert foncé au pied du lit. J'ai connu un lieutenant Charles Henderson, lorsque je commandais le *HMS Skipton*.

— Ça ne date pas d'hier, monsieur. Ma première affectation à la sortie de l'école d'officiers. Je suis surpris que vous souveniez de moi. Puis-je vous demander quel est l'objet de votre visite ?

— Je suis venu rencontrer ce garçon, sourit Hammer. La nuit dernière, il a sauvé mon père. Il a fait preuve d'un courage exceptionnel.

Sur ces mots, il tendit une main à Marc.

— Mon bras est couvert de cloques, bredouilla ce dernier.

— Oh, je comprends, sourit le contre-amiral. Je ne doute pas qu'un héros de votre trempe sera bientôt sur pied.

— Je l'espère. Comment se porte votre père ?

— Ses brûlures le font beaucoup souffrir, mais il a conservé toute sa tête. Il m'a chargé de courir chez *Harrods* et de vous remettre ceci.

Hammer lui présenta le paquet. De la taille d'une mallette, il était étonnamment léger. Lorsqu'il en eut dénoué la ficelle et ôté le papier cadeau, Marc découvrit deux boîtes de caramels, deux luxueuses serviettes-éponges et un peignoir de bain.

— Mon père a dit que vous comprendriez, précisa l'officier. Il tient à vous faire savoir que vous êtes désormais son Français préféré et que, si cela ne tenait qu'à lui, vous seriez autorisé à dérober toutes les serviettes d'Angleterre.

Marc éclata de rire, puis, terrassé par la douleur, porta une main à sa gorge.

— Transmettez-lui mes remerciements et assurez-le que je suis extrêmement touché par ce présent.

En dépit des moqueries que ses camarades ne manqueraient pas de lui lancer, il était sincèrement ravi de posséder ce peignoir. Il en estima la taille et se réjouit de constater qu'il pourrait le porter pendant plusieurs années.

Le contre-amiral se tourna vers Henderson.

— On m'a tenu informé des exploits que vous avez accomplis sur la côte française. J'ai étudié les photos de reconnaissance prises après les bombardements. Vous et vos hommes avez infligé à la flotte de péniches allemandes des dégâts *phénoménaux.*

— Monsieur, il est de mon devoir de vous demander si votre position vous autorise à évoquer ces activités à caractère officieux.

— Rassurez-vous. Je suis détaché auprès du ministère de la Guerre, en tant que conseiller aux opérations militaires et au renseignement. Le Premier Ministre a exprimé l'intérêt qu'il porte à votre travail. Votre succès a constitué une véritable bouffée d'air pur, à un moment où le destin semblait s'acharner contre nous.

— Marc faisait partie de l'équipe, dit fièrement Henderson. Il est responsable du coup de Boulogne. Il a même recruté quelques prisonniers africains pour nous aider à accomplir nos objectifs.

— C'est remarquable ! s'exclama le contre-amiral Hammer. Ce pays a besoin de gens comme vous, jeune homme.

— Mais malgré tout, *ils* veulent dissoudre notre unité, fit observer Marc.

En des circonstances ordinaires, Henderson n'aurait pas eu besoin de ce coup de pouce, mais la cuite de la veille et la nuit blanche qu'il venait de passer avaient altéré ses facultés.

— En effet, bégaya-t-il. C'est tout à fait incompréhensible. Alors que nous étions prêts à retourner en France afin de mener la vie dure aux Boches...

— Qui souhaite votre dissolution ? s'étonna Hammer, indigné.

— Le vice-maréchal Walker a ordonné une enquête administrative. Il refuse que mes garçons s'entraînent au saut en parachute et, pour être franc, monsieur, il m'a clairement fait comprendre qu'il souhaitait mettre un terme à nos activités.

— Ah vraiment ? Je regrette de ne pas avoir été informé de ces manœuvres. Walker est à la tête du SOE depuis huit mois, et on ne peut pas dire qu'il ait fait des étincelles. Et maintenant, voilà que ce gratte-papier de la Royal Air Force prétend dissoudre une unité de renseignement de la Navy, et réduire à l'inactivité la seule personne qui, à ce jour, ait accompli avec succès une opération d'infiltration derrière les lignes ennemies !

— C'est difficile à admettre, monsieur, mais le SOE est un service interarmées et Walker est mon supérieur hiérarchique.

— C'est ce que nous verrons. Comptez sur moi pour faire remonter cette affaire au plus haut niveau. Je vous tiendrai informé dans la journée.

Sur ces mots, le contre-amiral quitta la chambre d'un pas martial sans laisser à Henderson le temps de le saluer. Ce dernier tourna les paumes vers le plafond.

— Les voies du Seigneur sont impénétrables, dit-il. Marc sourit.

— Vous avez déclaré à McAfferty que vous ne croyiez pas en Dieu, lorsqu'elle a essayé de vous traîner à l'église, le soir de Noël.

— Mais tais-toi donc ! chuchota Henderson en pointant un doigt à la verticale. Il pourrait nous entendre...

Le souffle court, Paul se lança à l'assaut de la colline. Les pierres placées dans son sac à dos heurtaient sa colonne vertébrale à chaque foulée. La pente s'accentua à mesure qu'il approchait du sommet. Il dérapa une première fois et réussit à conserver l'équilibre en se retenant aux branches d'un arbuste. Au second faux pas, il dut mettre un genou à terre.

La boue gicla sur son visage. Il posa les mains au sol sans parvenir à enrayer la glissade. Il atterrit sur le ventre. Un flot de vase grisâtre s'engouffra sous son maillot rayé et souilla son pantalon kaki.

Glacé jusqu'à l'os, il sentit une main se refermer sur son col et le remettre d'aplomb sans grand effort.

Keïta était un colosse. Né vingt-deux ans plus tôt au Sénégal, alors colonie française, il avait rejoint l'armée, avait été capturé par les Allemands au cours de l'invasion de la métropole, s'était évadé puis avait gagné l'Angleterre après avoir participé à une opération de sabotage sous les ordres de Charles Henderson.

— Tu as des ennuis, mon petit ? sourit-il.

— Je suis un incapable, gémit Paul, les larmes aux yeux, en chassant la boue qui inondait son visage. J'ai mal aux jambes, et je crois bien que je vais mourir de froid.

— Secoue-toi ! gronda Keïta avant de placer une main à l'arrière du sac à dos et de pousser son élève vers le sommet de la butte.

Paul était au supplice. La bouche déformée par un affreux rictus, il avait l'impression que ses mollets étaient sur le point d'éclater. Lorsqu'il atteignit son objectif, une rafale de vent glacé le frappa en plein visage.

Il contempla les champs et les arbres enneigés. Au loin, on apercevait les carcasses de véhicules et les ruines qui servaient de cibles lors des exercices d'artillerie. Il considéra avec inquiétude le fossé pentu où les eaux produites par la fonte des neiges ruisselaient vers le lac à demi gelé.

— C'est parti ! s'écria Keïta sur un ton enthousiaste. Tu y es presque.

Sur ces mots, il donna à Paul une impulsion si puissante et si soudaine qu'il faillit rouler parmi les ronces et les rochers qui bordaient l'étroit canal. Le garçon y sauta sans hésitation et sentit ses bottes se remplir d'eau glacée. Deux mois plus tôt, il aurait franchi cet obstacle avec une extrême prudence, mais Takada exigeait de ses élèves rapidité et intrépidité.

Les accidents étaient fréquents mais sans gravité. Les conseils dispensés par l'instructeur japonais permettaient aux recrues d'améliorer leur forme physique, mais aussi de mépriser la peur et la douleur.

— Dépêche-toi ! hurla Keïta en pataugeant derrière Paul.

Ce dernier leva brièvement la tête et constata que ses quatre camarades avaient disparu de son champ de vision. Ébloui par le soleil, il posa le pied sur une pierre instable, perdit l'équilibre, bascula vers un rocher aux angles tranchants puis parvint *in extremis* à transférer tout son poids sur sa jambe stable. Cette manœuvre brutale infligea à son genou une douloureuse torsion, mais elle lui permit de poursuivre sa progression.

Chacune de ces petites victoires sur l'adversité fortifiait le moral des recrues. Paul était beaucoup plus fort et plus vif qu'au premier jour du programme d'entraînement, deux mois et demi plus tôt, mais il restait le plus jeune et le plus faible des membres du groupe A.

À l'approche du lac, la pente se fit moins raide, mais l'eau monta jusqu'à son nombril. La pièce d'eau s'étendait sur une centaine de mètres. Le parcours était matérialisé par une corde tendue à quelques centimètres de la surface.

Dans l'impossibilité de nager avec son sac à dos lesté de pierres, Paul comprit qu'il s'agissait d'un test destiné à éprouver la force de ses bras. Il plongea dans l'eau jusqu'au cou, tourna le dos au parcours, saisit le câble à deux mains, puis y croisa les jambes.

Ainsi, il se retrouva suspendu au cordage, aux trois quarts immergé, attiré vers le fond par le poids de son équipement. S'il lâchait prise, il serait précipité dans les profondeurs du lac et serait contraint d'y abandonner son équipement pour regagner la surface sain et sauf.

L'exercice consistait à ramener les genoux jusqu'aux poignets, à serrer les jambes autour du filin, puis à pousser sur ses cuisses en contractant ses abdominaux et en plaçant une main devant l'autre.

Aucune des recrues ne maîtrisait correctement cette technique de franchissement. Lors des premières séances d'apprentissage, ils s'étaient montrés incapables de parcourir plus de quelques mètres sans sac à dos.

Parvenu à mi-chemin, Paul était à l'agonie, mais il fallait se résoudre à continuer, ou à être entraîné dans les profondeurs.

— Plus vite ! ordonna Keïta, posté sur la rive. Ne t'arrête pas. Tu es plus fort que la douleur.

Après deux minutes de souffrance indescriptible, Paul jeta un œil à la surface du lac et constata qu'il se trouvait en eaux peu profondes. Il lâcha la corde puis se hissa sur la berge. Une main crispée sur son ventre meurtri, il se plia en deux et respira lentement, les yeux fermés.

— Tu t'es battu comme un chef ! s'exclama l'instructeur en désignant une charrette à bras remplie de pierres.

Paul ôta son sac à dos et se débarrassa du lest. Malgré ses muscles tétanisés et ses vêtements trempés, il se sentait incroyablement léger. Le cœur joyeux, il se dirigea au pas de course vers l'école. Dans dix minutes, tout au plus, il retrouverait la tiédeur du dortoir.

CHAPITRE DIX

Paul avait l'habitude de finir bon dernier. Il emprunta l'issue de secours située à l'arrière du bâtiment et trouva Rosie, PT et Joël en petite tenue, assis en tailleur sur le parquet du préau, près d'un radiateur, les doigts croisés sur des tasses fumantes.

— Un peu de thé ? demanda Samuel, le petit frère de Joël âgé de dix ans.

Paul ôta son polo de rugby et commença à délacer ses bottes.

— Avec plaisir, répondit-il. Mais avant, je dois *absolument* me rendre aux toilettes.

Sur ces mots, il gravit quatre à quatre les marches menant à l'étage. Son pantalon était détrempé, et ses chaussettes laissaient des traces sombres sur le parquet. Mieux valait faire disparaître ce forfait avant que Mr Takada ne le découvre, mais sa vessie constituait sa priorité numéro un. Il déboula dans les toilettes des garçons, se planta devant un urinoir et lâcha un soupir de plaisir.

— Oooh, qu'est-ce que ça fait du bien...

Alors, la chasse d'eau gronda dans la cabine située dans son dos, puis Luc, vêtu d'un simple caleçon, fit son apparition. Paul considéra avec inquiétude son torse musclé.

Après avoir jeté un bref coup d'œil à gauche et à droite, Luc se rua sur lui et le plaqua contre le mur.

— Fous-moi la paix, gémit Paul.

Luc plaça une main sur sa nuque et lui tordit violemment la joue.

— Alors, comment va mon nouveau partenaire d'entraînement ?

— Tu ne me fais pas peur, dit Paul, sans grande conviction, en tournant la tête pour se soustraire à l'haleine fétide de Luc.

— Je vais t'écraser comme une punaise, menaça ce dernier.

Il enfonça un genou dans l'abdomen de sa victime puis saisit son poignet à deux mains.

— Marc était trop gentil avec toi. Moi, je ne te ferai pas de cadeau. Je parie que j'arriverai à te faire chialer en moins de cinq minutes. Et dès que Takada aura le dos tourné, je te briserai les doigts.

— Pourquoi tu ne t'en prends pas à quelqu'un de ta taille ? suggéra Paul.

Luc raffermit sa prise sur son bras.

— Parce que c'est bien plus amusant de tabasser une lavette dans ton genre.

Sur ces mots, il fit pivoter énergiquement ses mains autour du poignet de Paul, lui infligeant une terrible brûlure.

— Rendez-vous sur les tatamis, mauviette ! lança-t-il enfin avant de quitter la salle.

Paul se reboutonna d'une main tremblante et chassa les larmes qui perlaient à ses yeux. Il éprouvait un terrible sentiment d'injustice. Luc ne pouvait-il pas profiter de l'avantage que lui offrait sa force physique lors des épreuves du programme d'entraînement ? Pourquoi éprouvait-il le besoin de s'en prendre à plus faible et plus petit que lui ?

Il s'apitoyait sur son propre sort. La vie d'agent était éreintante, et il avait aggravé son cas en simulant une blessure. L'espace d'un instant, il envisagea de descendre au bureau de McAfferty pour l'informer de sa décision de tout laisser tomber. Après tout, elle répétait sans cesse que l'*Espionage Research Unit B* n'était constituée que de volontaires, et que les recrues étaient libres de reprendre leur liberté quand bon leur semblait. Mais il ne pouvait se résoudre à abandonner sa sœur Rosie et son ami Marc. En outre, l'idée d'avoir sué sang et eau pour rien pendant dix semaines lui était insupportable.

— Eh, tu as l'air crevé, dit joyeusement Tristan, qui portait désormais le polo réglementaire, en entrant dans les toilettes.

— Cet entraînement va me tuer, gémit Paul en passant son poignet rougi sous l'eau froide. Bientôt, crois-moi, tu sauras de quoi je parle.

— Tu as pleuré ? Tes yeux sont tout rouges.

— Non, répondit sèchement son camarade en tournant le robinet. C'est à cause du froid, à l'extérieur.

Sur ces mots, il quitta dignement la pièce et descendit au rez-de-chaussée. Luc, l'air parfaitement innocent, avait rejoint Joël, PT et Rosie.

— Tiens, dit Samuel en lui tendant une tasse de thé.

Il y a des serviettes près de la porte, si tu veux te sécher.

Hélas, avant même que Paul n'ait pu avaler une gorgée, l'instructeur Takada fit irruption dans le préau et claqua dans ses mains.

— En rang par deux, annonça-t-il avant de se poster au pied de l'escalier et de crier : les garçons du groupe B, en bas, *immédiatement !*

L'heure était venue pour Tristan de participer à sa première séance d'entraînement au combat à mains nues. On lui avait attribué Samuel et deux autres garçons du groupe B pour partenaires. L'équipe étant toujours dans l'attente de deux recrues pour compléter ses effectifs, ses membres n'avaient pas encore débuté le programme d'entraînement. Keïta les emmenait courir dans la campagne afin d'améliorer leur endurance, et ils participaient à quelques travaux pratiques en compagnie de leurs camarades du groupe A.

En l'absence de Marc, ces derniers se trouvaient en nombre impair. Rosie fut chargée d'aider Keïta à s'occuper des plus jeunes agents du groupe B. PT fut associé à Joël. Comme prévu, Paul fut condamné à affronter son pire ennemi.

— Je vais te massacrer, sourit ce dernier.

Takada doucha son enthousiasme en ouvrant la séance par dix minutes d'exercices d'échauffement et de course statique.

Dès que l'instructeur ordonna aux binômes de se faire face et de combattre, Paul se sentit soulevé du sol, vola dans les airs et atterrit lourdement sur le tapis garni de crin de cheval. L'instant suivant, son adversaire se laissa tomber à genoux sur sa cage thoracique, saisit son bras et tordit impitoyablement ses doigts vers l'arrière.

Paul jeta un regard désespéré à l'adresse de Takada. Jusqu'alors, il s'était persuadé que ce dernier avait recommandé à Luc de se montrer clément, mais l'instructeur s'accroupit à son chevet, le sourire aux lèvres.

— Comment ça se passe, là-dessous ? ricana-t-il. Lorsqu'il en aura fini avec toi, tu auras peut-être l'opportunité de te faire porter pâle à cause d'une *véritable* blessure.

— Monsieur, je promets de ne plus jamais vous mentir, souffla Paul, tandis que Luc accentuait le mouvement de torsion. Mais par pitié, dites-lui de me lâcher…

— Beau travail, Luc ! lança Takada. Laisse-le se relever, et attaque de nouveau.

Trente minutes durant, les élèves enchaînèrent les exercices : techniques de projection, manœuvres destinées à déséquilibrer l'adversaire, lutte traditionnelle, désarmement d'un agresseur équipé d'un couteau. Paul ne voyait guère la différence. À chaque fois, il recevait des coups de poing, de coude et de genou, subissait les pires torsions articulaires et finissait par se retrouver au sol, écrasé de tout son poids par son partenaire.

Enfin, l'instructeur autorisa les recrues à s'accorder une pause. Le visage de Paul était écarlate. L'élastique de son caleçon s'était rompu. Son torse nu était couvert de bleus et de griffures.

— Tu ne perds rien pour attendre, lâcha Luc à voix basse avant de se diriger vers le lavabo situé dans un angle du préau.

Il eut la surprise de trouver Rosie plantée en travers de son chemin, les mains sur les hanches.

— Qu'est-ce que tu fabriques ? gronda-t-elle.

Luc haussa les épaules.

— Je ne fais qu'obéir aux ordres de Takada, dit-il.

— Je ne dis pas que Paul ne mérite pas une sanction pour avoir menti et s'être offert deux jours de repos. Mais c'est mon petit frère, et je trouve que tu vas *beaucoup* trop loin.

— Tu sais bien que je ferais n'importe quoi pour te faire plaisir, Rosie, sourit Luc. Je laisserai Paul tranquille, à une condition.

— Laquelle ? demanda la jeune fille, l'air suspicieux.

Le garçon se pencha en avant pour murmurer à son oreille.

— On pourrait faire un tour dehors, cette nuit. Et si tu es gentille avec moi...

— Tu n'es qu'un ignoble *porc* ! rugit Rosie en lui décochant un direct au menton.

Si le coup avait porté, il aurait sans nul doute brisé la mâchoire de Luc, mais ce dernier avait fléchi vivement les genoux, et le poing avait frôlé le sommet de son crâne. Il saisit la cheville de son adversaire, si bien qu'elle dut s'adosser au mur pour ne pas rouler sur le parquet du préau.

— Eh ! s'exclama Takada en se précipitant dans leur direction. Qu'est-ce que vous faites, vous deux ?

Il ceintura fermement le garçon, mais Rosie eut le temps de lui porter deux crochets à l'abdomen avant d'être maîtrisée par Keïta. Les autres recrues, qui savaient qu'elle se battait pour son frère, lui lancèrent des encouragements. Mais Takada était furieux. Il libéra Luc et la considéra d'un air sombre.

— Paul mérite sa punition, rugit-il. Ce n'est pas toi qui établis les règles, jeune fille !

— Mais cette sanction est disproportionnée, protesta Rosie. Il va finir par lui casser un bras !

— Paul est le plus intelligent d'entre vous, fit observer l'instructeur. Il ne tient qu'à lui de vaincre ou d'être vaincu.

— Qu'est-ce que vous racontez ? Luc fait deux têtes de plus que lui.

— Très bien, lança Takada. Je crois que l'heure est venue de vous éclairer sur un point important. Groupe A et groupe B, en cercle autour de moi. La pause est terminée.

Les recrues, qui n'avaient pas eu le temps de se désaltérer au lavabo, manifestèrent leur mécontentement par un concert de grognements puis s'assirent jambes croisées autour de l'instructeur.

— Les lions sont les animaux les plus redoutables de la jungle, déclara Takada. Ils sont dix fois plus puissants que le plus fort des humains. Leurs griffes peuvent les tailler en pièces, et leurs mâchoires broyer leurs os comme des biscuits. Et pourtant, c'est l'homme qui chasse le lion, et non l'inverse. Pourquoi, à votre avis ?

— Parce que les hommes possèdent des armes, répondit Samuel.

— Et pourquoi les hommes possèdent-ils des armes ? Ou plutôt, pourquoi les lions n'en possèdent-ils pas ?

— Parce que les lions sont stupides, lança Tristan.

— C'est exact, dit Takada en adressant au garçon un large sourire. L'homme est plus intelligent que le lion. À long terme, l'intelligence l'emporte toujours sur la force.

Après la course de l'après-midi et les coups qu'il venait de recevoir, Paul ne voyait pas au juste en quoi sa supposée intelligence pourrait lui épargner plaies, bosses et humiliations. Il n'était pas un chasseur armé jusqu'aux dents écumant la jungle à la recherche d'un trophée. Il n'était qu'un jeune garçon aux prises avec un crétin aussi musclé que stupide, qu'il était vain de tenter de raisonner.

— Groupe A, par binômes pour l'entraînement de lutte, ordonna Takada.

Tout sourire, Luc se rua vers Paul, l'attrapa par la taille, le souleva du sol et le précipita sur le tatami tête

98

la première. Il le saisit par le cou, le retourna comme une crêpe, puis enfonça un genou dans son omoplate droite.

Luc aurait pu bloquer l'épaule gauche de son adversaire et remporter rapidement le combat en vertu des règles de la lutte, mais il avait bien l'intention de faire durer le plaisir. Il enserra fermement le torse de Paul entre ses cuisses et roula sur le dos, si bien que sa proie resta suspendue dans les airs, incapable de respirer.

Lorsqu'il lâcha prise, Paul tenta de prendre la fuite en rampant. Luc empoigna ses chevilles et pressa ses talons contre ses fesses avec une telle violence que sa victime, l'espace d'un instant, crut que les tendons de ses genoux allaient se rompre.

— Pitié, supplia ce dernier.

— C'est le moment de faire appel à ton intelligence, ironisa Luc. Alors, dis-moi, comment vas-tu te sortir de cette situation ?

— Oh mon Dieu, gémit Paul, les joues baignées de larmes. Laisse-moi, je t'en prie...

Sur un signe de Takada, Luc lâcha prise. Le petit garçon jeta un regard implorant à l'instructeur, mais ce dernier se montra inflexible.

— Tu n'as pas honte de rester étendu par terre ? Lève-toi et bats-toi !

Luc était un tyran en herbe. La correction qu'il venait d'infliger à Paul lui avait procuré un plaisir indicible. En toute logique, il répéta la manœuvre. Sachant ce qui l'attendait, Paul roula sur le dos et détendit ses deux jambes au moment où son ennemi plongeait pour saisir ses chevilles.

Ses talons frappèrent simultanément l'abdomen de Luc. Hélas, les abdominaux de ce dernier étaient aussi fermes que le reste de son corps, si bien que cette double attaque suffit à peine à lui faire perdre l'équilibre et à le forcer à poser les mains sur le tatami. Paul en profita pour se redresser.

Il s'était tant de fois laissé molester sans réagir qu'il en avait perdu tout sens de l'offensive. Il gâcha quelques précieuses secondes à se demander s'il convenait de saisir la cheville de son adversaire. Lorsqu'il se décida enfin à passer à l'action, il la tordit de toutes ses forces, le forçant à s'allonger sur le matelas, se détendit comme un ressort puis se réceptionna à genoux sur les cuisses de Luc. Ce dernier poussa un gémissement, une plainte à peine audible, mais un triomphe pour un petit garçon habitué à endurer les pires tourments.

Encouragé par ce succès inattendu, Paul tenta de placer les mains autour du cou de son tortionnaire, mais ce dernier, d'un violent coup de reins, l'envoya valser dans les airs. Bientôt, les choses semblèrent rentrer dans l'ordre : Luc s'étendit sur son souffre-douleur et lui écrasa le visage contre le tatami.

— Voilà ce que je voulais voir ! se réjouit Takada. Paul a analysé la situation, ce qui lui a permis de prendre briévement l'ascendant. Luc, tu peux le lâcher. C'est l'heure de la douche.

Paul poussa un soupir de soulagement puis s'éloigna en boitillant. Ses jambes le faisaient atrocement souffrir. Il n'avait plus qu'un objectif : se glisser entre ses draps et dormir douze heures d'affilée. Il se réjouissait d'avoir purgé sa punition sans récolter de blessure sérieuse, et, tout compte fait, le combat qu'il venait de mener contre l'agent le plus redoutable de l'unité lui avait apporté de nombreux enseignements.

— Vous verrez que Paul s'en sortira mieux demain, lors de son prochain duel contre Luc, dit l'instructeur.

Paul eut l'impression qu'il venait de recevoir une balle en plein cœur.

— Vous aviez dit que ma punition ne durerait qu'une journée, protesta-t-il.

— Es-tu petit et faiblard, ou grand et fort ? demanda Takada.

— Petit et faiblard, monsieur, admit Paul en constatant que les gouttes de sueur pleuvaient en pluie sur le parquet.

— Tu reconnais donc qu'il est hautement probable que tu sois condamné à affronter des adversaires plus grands et plus forts que toi au cours de ta carrière d'agent. Il te faut donc apprendre à les terrasser. En t'entraînant régulièrement contre un partenaire supérieur, je suis certain que tu feras des progrès considérables.

Paul était consterné. Il chercha en vain les mots propres à traduire son désarroi et finit par s'écrier :

— Mais c'est injuste !

— Détrompe-toi. Luc aussi sera bientôt confronté à un adversaire redoutable.

— Ah ! s'esclaffa ce dernier. Ça m'étonnerait ! Aucun membre de l'unité ne m'arrive à la cheville !

Takada lança un sourire malicieux, puis fit trois pas en arrière. Il prit son élan, se précipita vers Luc, le saisit par le col et balaya ses jambes. En atterrissant sur le matelas, le corps du garçon produisit le son le plus sec et le plus puissant de la brève histoire de l'*Espionage Research Unit B*.

CHAPITRE ONZE

— Punaise ! s'étrangla Rosie en découvrant le front pelé et les sourcils roussis de Marc. Qu'est-ce qui t'est arrivé ?

Ils se trouvaient dans le couloir, au premier étage de l'école. Marc portait son sac de cuir et le paquet *Harrods* contenant les présents du général Hammer.

— Oh, la routine, expliqua-t-il. J'ai sauvé un homme d'un immeuble en flammes, et j'ai empêché sans le savoir la fermeture définitive de notre unité.

Rose sourit.

— Qu'est-ce qu'il y a là dedans ? Des petits cadeaux pour tout le monde ?

— Non, c'est à moi, répondit Marc en serrant le paquet contre sa poitrine. Mais si tu me le demandes poliment, je veux bien t'offrir un caramel.

— J'*adore* les caramels ! s'exclama Rosie en frappant gaiement dans ses mains. Dis donc, ta voix est drôlement éraillée...

— J'ai inhalé de la fumée. Ils ont examiné mes poumons, à l'hôpital. Selon le médecin, les brûlures sont sans gravité, et je devrais pouvoir reprendre l'entraînement dans une semaine.

Rosie semblait un peu perdue.

— Tu as inhalé de la fumée chez le dentiste ?

Marc leva les yeux au ciel.

— Mais non, pas chez le dentiste. Je viens de t'expliquer. Cette nuit, une bombe incendiaire est tombée sur le club d'Henderson, et il a brûlé jusqu'aux fondations. J'ai aidé un vieux monsieur à sortir du bâtiment, et c'est à ce moment-là que j'ai respiré les vapeurs toxiques.

— Oh, lâcha Rosie en plaçant une main devant sa bouche. Je croyais que cette histoire d'incendie était une plaisanterie.

— Regarde, dit Marc en exhibant sa main bandée.

Il paraît que certains dentistes travaillent comme des bouchers, mais ils se concentrent sur les mâchoires de leurs victimes, en général.

— Oh, je n'avais pas remarqué. Je suis un peu idiote, des fois.

— C'est l'homme que j'ai sauvé des flammes qui m'a offert ce cadeau. Mais qu'est-ce que tu fais là, au fait ? Tu n'as pas cours ?

— Je sors de deux heures d'anglais et de maths avec Mrs Donnelley, mais je voulais rendre visite aux blessés avant l'entraînement de tir.

Marc fronça les sourcils.

— Des blessés ? Un entraînement au maniement d'explosifs qui a mal tourné ?

— Suis-moi, et tu découvriras l'ampleur des dégâts, dit Rosie sur un ton mélodramatique.

Marc remarqua le rictus discret qui flottait sur les lèvres de sa camarade et comprit que la situation n'était pas aussi grave qu'elle le laissait entendre.

Ils pénétrèrent dans le dortoir du groupe A et se dirigèrent vers le lit de Paul.

La tête de ce dernier émergeait à peine de la couverture.

— Salut, Marc, gémit-il en esquissant un sourire forcé. Content de te revoir.

— Comme tout le monde le sait, expliqua Rosie sur un ton sarcastique, Paul a simulé une entorse à la cheville pour se soustraire à l'entraînement. Malheureusement, cette andouille s'est portée volontaire pour attraper des mulots destinés aux tarentules de Mrs Henderson, et Mr Takada l'a vu galoper dans les champs.

Marc lâcha un bref éclat de rire.

— Je t'avais pourtant bien dit que c'était une *très* mauvaise idée.

— Pour me punir, il m'a collé Luc comme partenaire, et je me suis fait corriger pendant une demi-heure, précisa Paul en rejetant sa couverture. Je suis couvert de bleus des pieds à la tête.

Rosie tira Marc vers l'autre bout de la pièce.

— Voyons comment se porte notre second patient, dit-elle en écartant le rideau tendu devant le lit de Luc. Il a dit à Mrs Donnelley qu'il souffrait de migraine.

Le garçon, étendu sur le matelas, dégageait une puissante odeur de sueur. Il était plongé dans un roman policier aux pages écornées.

— Tiens, j'ignorais que tu savais lire, ricana Marc.

— J'ai mal au crâne, répliqua Luc. Takada m'a jeté au sol cinq fois de suite.

— Je n'ai jamais rien vu d'aussi drôle de toute ma vie, dit Rosie. Takada lui a demandé d'être le partenaire de Paul, mais lorsqu'il a vu qu'il prenait plaisir à le faire souffrir, il a décidé de lui donner une bonne leçon.

— Mince, je regrette d'avoir manqué ça, grommela Marc.

Luc s'assit et pointa un index menaçant dans sa direction.

— Rosie a de la chance, parce que je ne frappe jamais les filles. Mais toi, tu ferais mieux de la mettre en veilleuse.

— Tout le monde déteste la façon dont tu martyrises ce pauvre Paul.

Luc posa son livre, bondit du lit et frappa ses poings l'un contre l'autre. Marc fit un pas en arrière.

— Comme tu es courageux! dit Luc avant de partir d'un rire sinistre.

— Et toi, comme tu es con, cracha Rosie avec mépris.

— La ferme, sale traînée.

— Oh, c'est charmant, ironisa la jeune fille avant de se tourner vers Marc. Bon, je te laisse, on m'attend au stand de tir.

— À tout à l'heure, lança son camarade avant de poser ses affaires sur son lit.

Il souleva le couvercle de la boîte de caramels et la présenta à Paul.

— Tu en veux un ?

Paul grimaça, plaça un oreiller derrière son dos et choisit une friandise.

— Je hais Takada, gronda-t-il.

Marc prit un air entendu.

— Je t'avais déconseillé de jouer au plus malin avec lui. Il ne fait pas de cadeau à ceux qui tentent de se payer sa poire. Un autre caramel ?

• •

Dès son retour, Charles Henderson déposa son sac de voyage dans l'entrée de la ferme, puis courut jusqu'au bureau qu'il partageait avec la surintendante McAfferty, au rez-de-chaussée du bâtiment scolaire.

— Bienvenue à la maison, lança joyeusement sa collègue en lui tendant un morceau de papier sur lequel elle avait griffonné un numéro de téléphone. Quelqu'un de Whitehall[3] a essayé de te joindre.

— Le contre-amiral Hammer ?

McAfferty secoua la tête.

---

3. Cette rue de Londres, située dans le quartier de Westminster, regroupe les ministères et les administrations gouvernementales (NdT).

— Son assistant. Il a dit que c'était extrêmement urgent. Il a refusé d'en dire plus. Je crois qu'il pensait avoir affaire à ta secrétaire, et non à ta supérieure hiérarchique.

Une détonation retentit dans le champ d'artillerie, à huit cents mètres de là. Les vibrations firent tinter la tasse et la soucoupe posées sur le bureau d'Henderson. Sans prendre le temps d'ôter sa veste et sa casquette, il décrocha le téléphone et communiqua le numéro à l'opératrice.

— Giles Ramsgate à l'appareil, fit une voix à l'autre bout du fil.

Avant même qu'Henderson n'ait pu prononcer un mot, sa femme déboula dans le bureau sans frapper.

Joan Henderson s'était mariée à l'âge de dix-huit ans. Treize ans plus tard, cette femme aux yeux caves et aux ongles rongés jusqu'au sang n'avait plus rien de la jolie brune vêtue d'une tenue de tennis qui posait en compagnie de son époux sur la photographie exposée sur le rebord de la fenêtre.

— Il est en communication avec Whitehall, chuchota McAfferty. C'est important.

— Il pourrait aussi bien être en train de discuter avec le pape, je m'en contrefiche. Je dois lui parler *immédiatement*.

Sur ces mots, Joan se rua vers le bureau et tendit le bras afin de couper la communication, mais Henderson saisit le combiné avant qu'elle n'ait pu s'en emparer.

— Je vous prie de patienter quelques instants, dit-il avant de poser une main sur le récepteur et de se tourner vers sa femme, la mine sombre. Qu'est-ce qu'il y a encore ?

— Tu as jeté ton sac dans l'entrée, puis tu t'es précipité ici sans même venir me saluer, cracha Joan. Ne compte pas sur moi pour faire ta lessive.

— Je ne t'ai rien demandé, répliqua Henderson.

— Il faut qu'on parle. Qu'on parle *sérieusement*, pas quelques secondes entre deux portes.

— Très bien, dit son mari en consultant sa montre. Je serai à la maison dans vingt minutes.

Réalisant qu'une petite voix masculine s'échappait de l'écouteur, il le plaqua contre son oreille.

— Capitaine Ramsgate ? Oui, oui. Henderson à l'appareil. Je vous rappelle comme convenu.

McAfferty ouvrit la porte et tendit la main vers le couloir.

— Voulez-vous que je demande à l'une des filles de préparer du thé et de vous l'apporter à la ferme ? proposa-t-elle.

Joan la fusilla du regard.

— Je sais faire infuser du thé, ma petite. Je suis encore bonne à quelque chose, contrairement à ce que vous vous imaginez.

La surintendante s'efforçait de se montrer agréable et compréhensive, mais Joan prenait systématiquement la moindre remarque pour une attaque personnelle.

Lorsqu'elle eut quitté la pièce, McAfferty retourna à son bureau et écouta son collègue d'une oreille attentive.

Ce dernier l'avait déjà informée par téléphone de l'échec de son entrevue avec le vice-maréchal Walker, mais elle ignorait tout de ce qui s'était passé durant la nuit.

— Et quand comptent-ils nous rendre visite ? demanda-t-elle lorsque Henderson eut raccroché.

— Demain, par le premier train.

— En ce cas, nous devrions rassembler tout le monde sans tarder. Takada dîne en ville avec sa fiancée, mais à part lui, tout le monde est présent.

Quelques minutes plus tard, les agents et le personnel d'encadrement se regroupèrent dans le préau. Marc aida Paul à descendre jusqu'au palier intermédiaire, mais il éprouvait toujours des difficultés à respirer, si bien que PT dut le remplacer jusqu'au rez-de-chaussée.

— Si vous continuez à vous esquinter à ce rythme, fit observer ce dernier, il ne restera bientôt plus grand monde dans notre groupe.

Six membres du personnel se postèrent derrière Henderson et McAfferty. Les élèves des groupes A et B, accompagnés des jeunes frères et sœurs que l'organisation avait recueillis, se tenaient en rang devant eux. Craignant d'être accusés de quelque faute disciplinaire, ils échangeaient des regards anxieux.

— Bien… lâcha Henderson au moment même où un obus d'artillerie explosait sur le champ de tir. Bonsoir à tous. Je suis navré de devoir interrompre vos activités, mais je viens de recevoir un coup de téléphone important. Les chefs du SOE semblent remettre en cause notre travail. De leur point de vue, confier à des enfants des missions d'infiltration est une idée parfaitement absurde. Ils ont décidé de procéder à une inspection, et je crois qu'ils ont la ferme intention de dissoudre notre unité.

— Non ! protestèrent en chœur les agents abasourdis.

Henderson leva les mains pour leur intimer le silence et haussa sensiblement le ton.

— Un peu de calme, je vous prie. Nous n'avons pas encore dit notre dernier mot. J'ai obtenu le soutien du contre-amiral Hammer, qui occupe les fonctions de conseiller militaire auprès du gouvernement. Il se présentera demain matin en compagnie de son assistant, le capitaine Ramsgate. Ils souhaitent voir de leurs yeux de quoi vous êtes capables. Comme vous avez pu le constater, nous nous efforçons de vous traiter correctement et de vous considérer comme des individus à part entière. Mais soyez conscients que nous aurons affaire à des militaires. Ils s'attacheront au moindre détail, alors il faut que le bâtiment soit impeccable. Je veux que vous ciriez le parquet jusqu'à ce que l'on puisse se voir dedans. J'exige que la moindre tache, la plus infime trace de doigt sur les murs soit effacée. J'ordonne que vous briquiez la robinetterie des salles de bain, que les dortoirs soient parfaitement rangés et les lits faits au carré. Ensuite, vous vous préoccuperez de votre apparence. Je vous veux douchés, peignés et les ongles taillés. Si je découvre la moindre chaussette en boule sous un lit, la plus petite marque de crasse derrière l'oreille, les sanctions pleuvront. Me fais-je bien comprendre ?

— Oui, monsieur, répondirent les agents.

— Après cette revue, vous prouverez aux inspecteurs que vous maîtrisez le maniement des armes et des explosifs. Mais nous allons devoir répéter. Notre futur dépend de cette démonstration. Je compte sur vous pour vous dépasser et faire forte impression devant le contre-amiral Hammer et le capitaine Ramsgate. Compris ?

— Oui, monsieur !

— Je vais donc former trois groupes. Le premier sera composé de PT, de Rosie, de Samuel, de...

À cet instant, Joan déboula dans le préau en brandissant une tasse et un morceau de génoise.

— Ton thé va refroidir ! s'exclama-t-elle. Je te rappelle que nous devions avoir une discussion, toi et moi.

— Un moment, dit Henderson.

Il se dirigea vers son épouse et chuchota à son oreille :

— Des inspecteurs vont nous passer en revue, demain, à la première heure. La survie de l'unité en dépend, et je dois prendre des dispositions sans tarder.

— Je me fous pas mal de tes excuses, gronda Joan. Tu as annulé notre dîner avant de partir pour Londres, tu me poses un lapin pour le thé, et, si je comprends bien, nous ne prendrons même pas le petit déjeuner ensemble.

Profondément embarrassés, recrues et membres du personnel détournèrent le regard.

— Je serai à la maison pour le dîner. Un peu tard, sans doute, mais je te le promets.

Pour toute réponse, Joan serra la part de gâteau entre ses doigts puis l'écrasa sur le crâne de son époux. L'un des plus jeunes pensionnaires ne put réprimer un éclat de rire à la vue des miettes et de la confiture qui dégringolaient dans le col de chemise d'Henderson.

— Si nous ne pouvons pas nous entretenir en privé, j'imagine que je suis autorisée à faire une annonce en public ! hurla Joan.

— Ma chérie, ne fais pas l'enfant ! tonna son mari. Je n'ai pas une minute à moi, voilà tout.

— Pas une minute à toi à cause de je ne sais quelle traînée londonienne, répliqua sa femme. Es-tu seulement capable de garder ta braguette fermée, ne serait-ce que cinq minutes ?

McAfferty posa une main sur l'épaule de Joan et s'efforça de la ramener à la raison.

— Ma chère, vous vous donnez en spectacle. Vous feriez mieux de vous calmer. Allez vous reposer dans le bureau de Charles.

— Enlève tes sales pattes de là ! Combien de fois avez-vous couché ensemble, vous deux ? C'est drôle, en général, il préfère les grandes perches, pas les allumeuses boulottes dans ton genre.

PT, Rosie et Marc lâchèrent un ricanement nerveux.

— C'est le divorce que tu veux ? gronda Henderson.
Pas de problème, je te l'accorde. Je ne ferai rien pour
te retenir, toi, l'oseille de ton père et tes foutues tarentules !

Joan partit d'un rire dément.

— Ah, parce que tu crois pouvoir te débarrasser de
moi aussi facilement ? Te souviens-tu de la dernière
fois que tu as daigné me toucher, lorsque tu es rentré
au pays, en septembre dernier ? Eh bien, je te signale
que je suis enceinte et que notre bébé naîtra en juin !

— Oh ! s'étrangla Henderson.

La mâchoire ballante, il se contenta de piétiner tris-
tement les miettes tombées à ses pieds.

Leur premier enfant avait succombé à l'âge de dix-
huit mois, un drame qui avait plongé Joan dans une
profonde dépression nerveuse dont elle n'avait jamais
émergé. Henderson avait toujours souhaité fonder une
famille, mais il craignait que l'état d'abattement de
sa femme ne rende la grossesse difficile. En outre, il
redoutait que ses activités d'espionnage soient incom-
patibles avec son rôle de père.

Une fois le choc encaissé, il ouvrit grand les bras et
enlaça Joan. C'était un coup de poker. Il ignorait s'il
allait récolter un baiser ou une gifle cinglante. Mais
des larmes brillèrent dans les yeux de son épouse. Elle
déposa un long baiser sur sa joue constellée de miettes
et de traînées de confiture.

CHAPITRE DOUZE

En temps normal, Henderson, Takada et les autres membres de l'organisation confiaient les corvées domestiques aux recrues qui n'entretenaient pas correctement leur arme, se présentaient en retard à l'entraînement ou se rendaient coupables d'actes d'indiscipline. Ces dernières accomplissaient leur devoir lentement, sans enthousiasme, sans cesser de maugréer.

Mais ce jeudi-là, l'avenir de l'unité dépendait de la revue. Tout le monde, de la surintendante McAfferty aux frères Leconte, fut pris d'une frénésie de nettoyage.

On cira les parquets, on briqua les vitres au vinaigre blanc et on passa les murs du préau à l'eau de chaux. Tristan apprit à ses camarades à faire leur lit au carré, dans la plus pure tradition militaire. Les plus grands déplacèrent les meubles afin de permettre aux plus jeunes de chasser la poussière dans les recoins inaccessibles. McAfferty, Rosie et Pippa, la vieille cuisinière, préparèrent le repas du soir, blanchirent une montagne de linge sale puis pressèrent draps et vêtements dans une

115

essoreuse à rouleaux. Cette tâche éreintante accomplie, Rosie contempla avec effroi ses mains fripées en se demandant si elles retrouveraient jamais leur aspect originel.

Lorsque tout fut en ordre, les enfants dînèrent, puis McAfferty leur ordonna de prendre une douche. À sept heures du soir, garçons et filles regagnèrent leurs quartiers.

— Le résultat est spectaculaire, dit Henderson, vêtu d'un bleu de travail constellé de taches de peinture, en inspectant le dortoir du groupe A.

Les agents avaient fait disparaître les cloisons de fortune et la décoration murale. Les lits étaient impeccables et alignés au cordeau.

— Vous avez vraiment travaillé dur. Nous n'avons pas eu besoin de crier ni de menacer, et vous avez fait preuve d'initiative. Vous n'imaginez même pas à quel point je suis heureux et fier de vous voir travailler en équipe de votre propre chef.

— Merci, monsieur, lancèrent joyeusement les recrues.

— Je dois aller dîner avec ma femme. Je vous donne quartier libre. Extinction des feux à neuf heures et demie, lever six heures du matin. Et j'exige que tout le monde soit en pleine forme. Nous répéterons la démonstration de maniement d'armes et d'explosifs que Mr Takada et moi avons préparée. Si leur train arrive à l'heure, nos invités se présenteront peu avant neuf heures.

— Bonne nuit, monsieur, dit Marc. Et toutes nos félicitations pour le bébé.

À ces mots, Henderson baissa les yeux et esquissa un sourire embarrassé.

— Vous pourriez l'appeler comme moi, suggéra Paul.

— Si c'est une fille, bien sûr, ajouta Marc.

Henderson lâcha un bref éclat de rire, quitta la chambre puis pénétra dans le dortoir du groupe B afin de s'assurer que tout était en ordre et d'adresser à ses membres ses ultimes recommandations.

Aussitôt, PT souleva la table métallique placée près de la fenêtre, la mit au centre de la chambre et sortit un paquet de cartes de la poche arrière de son short.

— Un petit poker ? Vu que l'unité risque d'être dissoute, c'est peut-être votre dernière chance de vous refaire.

— J'en suis, dit Marc. Je vais aller chercher des chaises dans la salle de classe.

Rosie recouvrit la table d'un morceau de feutre vert. Joël y déposa la boîte en carton contenant les boutons métalliques qui leur servaient de jetons. Luc, qui détestait les jeux de cartes, resta plongé dans son roman policier.

— Tu joues, Paul ?

— Non, pas ce soir.

— Allez, quoi, insista PT en prenant place à la table de jeu. Tu es le plus jeune d'entre nous, mais tu es le seul qui m'arrive à la cheville.

Paul secoua la tête.

— J'ai la migraine, et mes boyaux sont en vrac.

Luc leva les yeux de son livre.

— Content de savoir que je n'ai pas raté mon coup, gloussa-t-il.

— Luc, ferme-la, par pitié, répliqua Rosie.

— Ferme-la toi-même, grosse vache.

Marc installa les chaises de part et d'autre de la table.

— Vous ne trouvez pas que Joël est méconnaissable, lorsqu'il se peigne et enfile des vêtements propres ? sourit Rosie.

— Il a pratiquement l'air humain, confirma Marc.

Rosie se pencha par-dessus la table et embrassa Joël sur la joue.

Marc éclata de rire.

— Fais gaffe, PT. On dirait que ta fiancée a envie de changer d'air.

Rosie bécota son petit ami dans le cou.

— Et moi alors ? protesta Marc.

La jeune fille déposa un baiser sur son front.

— Roulure ! cria Luc.

— La ferme ! hurlèrent en chœur les recrues installées autour de la table de poker.

PT mélangea les cartes avec expertise, les fit passer d'une main à l'autre, les disposa en un éventail parfait, les regroupa, les coupa puis commença la distribution.

— Cinq cartes, deux primés, pas de limite. Tout le monde commence à mille livres.

— Et pourquoi pas un million ? sourit Marc. Vu qu'aucun de nous n'a d'argent, il n'y a pas de raison de se priver.

— Je paierai mes dettes quand je serai riche et célèbre, plaisanta Rosie.

Alors que les joueurs s'apprêtaient à disputer la deuxième manche, Tristan entra timidement dans le dortoir.

— Je vous ai entendu jouer aux cartes, murmura-t-il. Je peux me joindre à la partie ?

— Plus on est de fous… répondit PT. Va chercher une chaise dans la salle de classe, de l'autre côté du couloir.

— Jolie robe de chambre, dit Tristan en découvrant le peignoir matelassé de Marc.

— Oui, ricana Joël, et très viril, avec ça.

— Va te faire cuire un œuf, répliqua Marc en observant discrètement ses trois premières cartes.

À la surprise générale, Tristan emporta la manche sur un coup de bluff extrêmement audacieux.

— La chance du débutant, grommela PT.

Tristan sourit.

— Mon père était pêcheur. Lorsque la mer était trop forte, il passait ses journées à jouer aux cartes avec ses camarades. Je l'ai regardé faire depuis l'âge de trois ans, et j'ai commencé à jouer à cinq.

Contrarié de voir un nouveau venu menacer sa suprématie, PT haussa un sourcil.

— J'ai été garçon de cabine sur cinq paquebots différents. J'ai affronté des tricheurs professionnels, des maquereaux et des ivrognes qui n'hésitaient pas à refroidir ceux qui les regardaient de travers.

— C'est ça, ricana Marc. Et moi, j'ai joué contre le champion de poker des cinq océans, un calamar géant prénommé Eddie. Il portait un bandeau sur chaque œil et un crochet à l'extrémité de chaque tentacule. Pourtant, je n'ai pas été foutu de remporter une seule manche.

Les recrues éclatèrent de rire. Rosie remarqua que Paul se tenait debout, une main crispée sur son abdomen.

— Tu vas bien, petit frère ?

— Il faut que j'aille aux toilettes.

Les joueurs entamèrent une nouvelle partie. Rosie constata avec ravissement qu'elle avait tiré trois dames. Elle tenta de faire monter les enchères, mais elle avait l'habitude de jouer prudemment, si bien que ses adversaires s'étonnèrent de la voir enchérir avec tant d'enthousiasme. Malgré tout, elle emporta la manche, leva triomphalement les bras au ciel puis ramassa de quoi doubler sa pile de boutons. Alors, elle réalisa que Luc avait quitté son lit.

— Où est-il passé, celui-là ? demanda Rosie.

— Il est sorti juste derrière ton frère, dit Joël.

•
•

L'état de Paul n'avait cessé d'empirer. Chaque mouvement le faisait atrocement souffrir, et son crâne palpitait au rythme des battements de son cœur.

— Mais qui voilà ? s'exclama Luc, tout sourire, lorsqu'il quitta la cabine des toilettes. Ce bon vieux Paulot !

Il saisit Paul par le col de son haut de pyjama et le traîna jusqu'aux douches, au fond de la salle de bains collective. Le carrelage était trempé, et un nuage de vapeur flottait dans les airs.

— Laisse-moi tranquille, à la fin, gémit le petit garçon.

— Gna gna gna, répliqua Luc en imitant la voix haut perchée de Paul.

Il le plaqua contre le mur.

— Lâche-moi…

Luc le souleva d'une main et le cogna contre la paroi.

— Finalement, j'ai suffisamment joué avec toi, ce matin. Je te laisserai filer si tu me baises les pieds et si tu me dis que je suis le meilleur.

— Plutôt mourir, cracha Paul.

Luc éclata de rire.

— Obéis, ou je te massacre.

Paul considéra froidement les options qui s'offraient à lui. S'il appelait à l'aide, Luc poserait une main sur sa bouche et lui fracasserait sans doute la tête contre le carrelage par mesure de rétorsion. S'il faisait front, il s'exposait à une nouvelle raclée. Tout bien pesé, mieux valait se prosterner au pied de son bourreau et faire docilement ce qu'il ordonnait.

— Tu es un pervers, dit-il en posant un genou à terre. Qu'est-ce qui ne tourne pas rond chez toi ?

À cet instant précis, Rosie déboula dans la salle de bains.

— Paul ? Tout va bien ?

Les douches se trouvaient hors de son champ de vision. Luc mit un doigt sur ses lèvres et fusilla le petit garçon du regard.

— Boucle-la, chuchota-t-il.

Paul envisagea d'alerter sa sœur, mais il ne voulait pas qu'elle le trouve agenouillé, soumis à la pire des humiliations.

— Paul ! insista Rosie avant de se tourner vers Joël, qui patientait dans le couloir.

— Je vais jeter un coup d'œil aux douches, dit ce dernier.

Luc chuchota à l'oreille de Paul.

— Un seul mot, et je te démolis.

— Qu'est-ce que vous fabriquez ici ? gronda Joël, bientôt rejoint par Rosie, Marc et PT.

— Lâche mon frère immédiatement ! cria Rosie.

— Mais je ne l'ai même pas touché, sourit Luc. Il a glissé. J'allais l'aider à se relever.

Joël et PT l'encadrèrent.

— J'ai fermé les yeux quand tu lui balançais des coups de pied dans les couloirs, gronda ce dernier. Mais cette fois, tu es allé trop loin. Paul ne peut même plus aller aux toilettes sans se faire tabasser.

Marc jeta quelques serviettes dans un lavabo et ouvrit le robinet d'eau froide.

— Je peux vous massacrer, comme ça ! lança Luc en claquant des doigts.

— Certes, mais pas *tous* à la fois, fit observer Joël. Rosie et PT t'ont déjà demandé de te calmer, mais tu as ignoré leurs avertissements. McAfferty te foutrait à la porte si elle apprenait ce que tu fais subir aux petits, mais on a décidé de t'offrir une seconde chance.

Les traits de Luc s'affaissèrent.

— Très bien, dit-il. Je ne le toucherai plus jamais. Qu'est-ce que j'en ai à faire, de ce morveux, après tout ?

— Parfait, on est d'accord, lâcha PT. Maintenant, allonge-toi sur le carrelage.

— Quoi ? s'étrangla Luc.

— À plat ventre ! rugit PT. Tu es dur de la feuille ?

— Ne crois pas que tu vas t'en tirer comme ça, sourit Rosie. On va te donner une bonne leçon.

— N'y pensez même pas, gronda Luc en adoptant une posture défensive. Vous n'avez aucune chance.

Rosie passa à l'attaque. Elle était plus petite que son adversaire, mais elle suivait un entraînement au combat à mains nues depuis trois mois, et ses réflexes étaient naturellement affûtés. Luc tenta de lui porter un direct à la face, mais elle fléchit promptement les genoux, lui assena un coup de tête dans l'abdomen, puis le poussa contre le mur des douches.

Sans lui laisser le temps de répliquer, PT et Joël arrachèrent le maillot de corps de leur adversaire, puis saisirent fermement ses bras.

— Vous êtes tous morts ! brailla-t-il.

Rosie attrapa l'une de ses chevilles et tira de toutes ses forces, le forçant à se mettre à genoux. Joël et PT, pesant de tout leur poids, le plaquèrent sur le carrelage.

— Fourrez-lui quelque chose dans la bouche, qu'il la ferme, ordonna Rosie.

Sur ces mots, elle pinça le nez de Luc. Lorsque ce dernier fut contraint d'écarter les mâchoires pour respirer, PT s'empara d'un gant de toilette qui séchait sur un radiateur et l'enfonça au fond de sa gorge.

Marc tordit l'une des serviettes détrempées, la noua autour des chevilles de Luc, puis plia ses genoux de façon à ce que ses talons soient au contact de ses fesses. PT saisit un second linge et attacha solidement ses chevilles à ses poignets.

— Henderson ne nous avait-il pas assuré que cette technique nous serait utile plus tôt que nous ne le pensions ? sourit Marc.

Paul, médusé, ne pouvait pas détacher les yeux de l'individu qui avait fait de sa vie un enfer. Allongé sur le sol humide, Luc éprouvait les pires difficultés à respirer. Il tremblait comme une feuille. Ses souffrances rachetaient-elles celles qu'il lui avait fait subir ?

Marc essora une nouvelle serviette et la lui tendit.

— À toi l'honneur, dit-il.

— Vous vous rendez compte qu'on pourrait être exclus ? murmura Paul.

Joël haussa les épaules.

— On est ici pour apprendre les techniques d'espionnage. On est censés agir discrètement et faire preuve d'initiative. Est-ce que je me trompe?

Rosie ne partageait pas les doutes de son petit frère. Elle lui arracha la serviette des mains et s'en servit comme d'un fouet. Le tissu émit un claquement sec et laissa une zébrure écarlate sur le dos de Luc.

Ce dernier lâcha un gémissement.

— Tu aimes ça, n'est-ce pas? ricana Rosie avant de lui porter un nouveau coup.

Marc s'empara d'un autre linge et frappa Luc à deux reprises. PT et Joël s'armèrent à leur tour et fouettèrent leur ennemi de bon cœur.

Luc, touché entre les omoplates, poussa un cri déchirant. PT frappa deux fois au même endroit, ouvrant une plaie sanglante au milieu du dos.

Paul s'interposa et leva les bras.

— Il a son compte, dit-il d'une voix fébrile.

— Il lui en faut davantage, s'esclaffa Joël. Vas-y. Il ne doit jamais oublier cette leçon.

Paul saisit la serviette que lui tendait son camarade, mais le sang qui s'écoulait entre les épaules de Luc lui soulevait le cœur. En vérité, en dépit de leurs rodomontades, toutes les recrues avaient le sentiment d'être allées trop loin.

Marc s'agenouilla auprès de sa victime et constata que de grosses larmes roulaient sur ses joues.

— Oh, il pleure, le pauvre bébé, dit-il, visiblement enchanté.

— On le détache ? demanda Rosie.

PT s'assit à califourchon sur le dos de Luc.

— Je pense que les pendules sont remises à l'heure, gronda-t-il. Mais si ce salaud ose s'en prendre une nouvelle fois à Paul, nous recommencerons.

Luc poussa un juron étouffé.

— Je crois qu'il nous supplie de devenir ses amis, ironisa Marc.

— Laissons-lui un peu de temps pour réfléchir à tout ça, dit PT. S'il se tient tranquille, nous viendrons le délivrer avant l'extinction des feux.

— Et si quelqu'un entend ses gémissements ? s'inquiéta Paul.

PT s'accorda deux secondes de réflexion.

— Il faut qu'on prévienne les autres. Personne ne l'aime, de toute façon. Les adultes n'utilisent jamais notre salle de bains, et on ne peut pas l'entendre depuis le couloir.

— Très bien, approuva Marc. Retournons jouer au poker. Ça te dit, Paul ?

Le petit garçon avait l'impression que ses douleurs étaient apaisées. Les membres du groupe étaient venus à son secours, et ce geste courageux lui allait droit au cœur.

— Oui, tiens, pourquoi pas ?

CHAPITRE TREIZE

Les cinq agents se lancèrent à corps perdu dans une longue partie de poker. Ils en oublièrent la guerre, le sort fatal de leurs parents, l'épuisement et les douleurs consécutives aux exercices d'entraînement. Ils ne songeaient plus qu'aux caprices du hasard, aux statistiques et aux boutons sans valeur qu'ils s'efforçaient d'accumuler.

Un officier de stature imposante fit irruption dans le dortoir.

— Des cartes ! lança-t-il sur un ton austère avant de marcher vers la table d'un pas martial. Vous jouez au poker, à ce que je vois.

Paul, Rosie, Tristan et Joël le considérèrent d'un œil suspicieux. PT, l'aîné des recrues, s'adressa à l'inconnu au nom de ses camarades.

— Je crois que nous n'avons jamais eu le plaisir de vous rencontrer, monsieur.

— En effet. Capitaine Ramsgate, régiment des Scots Guards. Le contre-amiral Hammer m'a chargé de lui remettre un rapport préliminaire concernant votre organisation.

— La surintendante McAfferty sait-elle que vous vous trouvez ici ?

— Non, pas encore.

Rosie poussa sa chaise en arrière et se dressa d'un bond.

— Je vais la prévenir. Je suis certaine qu'elle souhaitera s'entretenir avec vous immédiatement.

— Nous vous attendions demain matin, fit observer Marc.

Le capitaine Ramsgate fit deux pas de côté pour empêcher Rosie de quitter le dortoir.

— Je rencontrerai la surintendante quand il me plaira, sourit-il. Le contre-amiral Hammer a exigé que je me présente à l'improviste. J'ai dû traverser le champ de tir à pied, en évitant le poste de sécurité de l'entrée principale. Ainsi, je pense en apprendre davantage sur cette unité que si je m'étais présenté à l'heure dite, à l'endroit convenu.

Sourire aux lèvres, PT mélangea les cartes.

— Aimeriez-vous joindre à nous, capitaine ?

L'officier ne répondit pas. Il s'empara des cartes et les battit avec une habileté surprenante. En comparaison, PT n'était qu'un amateur.

— Coupez à l'endroit qu'il vous plaira, dit Ramsgate en posant le paquet devant Tristan.

Ce dernier lui lança un regard interdit.

— Il ne parle pas encore très bien anglais, expliqua PT, tandis que Rosie traduisait en français la phrase de l'officier.

Tristan coupa les cartes. Ramsgate retourna la première : le roi de cœur.

— Je vous parie que les trois prochaines sont des rois, demanda-t-il. Qui est prêt à miser ?

Les recrues échangèrent un sourire complice, mais compte tenu de la façon dont l'homme avait battu les cartes, nul n'osa mettre en jeu le moindre bouton.

Ramsgate retourna les trois cartes, dévoilant le roi de carreau, le roi de pique… puis un trois.

— Presque, s'amusa PT.

Le capitaine se gratta pensivement la tête.

— C'est curieux, dit-il. Où a-t-elle bien pu passer ? Oh, attendez une minute…

Il glissa une main dans la poche de son blazer et en tira le roi de trèfle.

— Diable, comment a-t-elle bien pu atterrir ici ? fit-il mine de s'étonner en posant la carte au centre de la table.

Les agents éclatèrent de rire et applaudirent à tout rompre. Le capitaine Ramsgate se tourna vers PT.

— Si je trouve le temps, je t'enseignerai ce tour, dit-il. C'est juste une question d'agilité. Il faut travailler dur pour acquérir la souplesse nécessaire.

— Ça m'intéresse, confirma PT. Mon père m'a appris quelques tours quand j'étais petit, mais rien d'aussi spectaculaire.

— Je constate que tu es un petit malin, poursuivit Ramsgate en considérant les minuscules traces d'ongle au coin des rois. Avec ces cartes-là, je suis certain que tu gagnes à tous les coups.

Paul s'étrangla.

— PT, sale tricheur, tu n'es qu'un fils de...

Rosie lui intima le silence en lui flanquant un violent coup de pied sous la table. Il était hors de question d'employer un tel vocabulaire devant un inspecteur débarqué de Whitehall.

— Alors comme ça, vous voulez devenir des espions ? demanda Ramsgate en s'asseyant sur le lit de Rosie. Et pour quelle raison ?

Marc fut le premier à répondre.

— Je préfère me battre que finir sous une bombe allemande sans pouvoir me défendre.

— Les Boches ont tué notre père, ajouta Rosie en prenant la main de Paul. Et nous ne serions plus de ce monde si le capitaine Henderson ne nous avait pas recueillis.

— Quel entraînement suivez-vous ? demanda l'officier.

— On apprend toutes sortes de choses, répondit la jeune fille. Course, natation, tir au pistolet, codes radio, combat à mains nues, maniement d'explosifs.

— Explosifs ? sourit Ramsgate. Et qu'est-ce que vous faites exploser au juste ?

— L'instructeur Takada nous a appris à piéger une piste à l'aide de fil de nylon, expliqua Joël. On a fait sauter un cottage, mais on manque de plastic.

130

— Lors des exercices, on utilise souvent de la pâte d'amande, ajouta Paul. La texture est pratiquement identique.

— Et après, on peut la manger, après l'avoir essuyée, conclut Joël.

Ramsgate partit d'un rire tonitruant.

— De nombreuses personnes affirment qu'il est immoral de confier à des enfants des missions d'infiltration. Qu'en pensez-vous ?

Les recrues observèrent un long silence, puis Marc se décida à briser la glace.

— L'ennemi nous est supérieur. Toute personne en bonne condition physique devrait contribuer à l'effort de guerre, d'une façon ou d'une autre.

— J'ai assisté à l'invasion de la France, dit Joël. J'ai vu des villes réduites en cendres. Des cadavres d'hommes, de femmes, d'enfants et d'animaux, partout. Je préfère risquer ma vie en France que de souffrir ici, si les Allemands envahissent l'Angleterre.

— Je vois, soupira le capitaine Ramsgate. Mais mener une mission d'infiltration derrière les lignes ennemies vous expose au pire. Si vous êtes capturés, vous serez torturés sans pitié. Avez-vous vraiment mesuré toutes les conséquences ?

Marc dévoila sa dent manquante.

— Nous savons à qui nous avons affaire. C'est un agent de la Gestapo qui m'a fait ça. Le père de Paul et de Rosie a été tué, puis leur bateau a été bombardé.

Joël avait de la famille en Allemagne. Des Juifs, vous me suivez ?

— Je suis d'accord avec Marc, dit Paul. Mieux vaut mourir au combat que de rester les bras croisés en regardant les Boches massacrer la terre entière.

À cet instant, Henderson apparut dans l'encadrement de la porte du dortoir. Il était venu s'assurer que les recrues s'étaient mises au lit. En apercevant Ramsgate assis sur le lit de Rosie, il se sentit défaillir.

— Je ne vous attendais pas si tôt, bredouilla-t-il en adressant au capitaine un salut militaire.

Ce dernier éclata de rire.

— Pour perdre mon temps à constater que les dortoirs sont impeccables et à regarder défiler des gamins endimanchés tout droit sortis de la douche ?

Sous le choc, Henderson se balança d'un pied sur l'autre.

— Eh bien, capitaine, j'imagine que c'est exactement ce que l'on attendait de nous en de telles circonstances.

— C'est exact, mais je crois qu'une discussion informelle avec vos agents m'en a appris davantage. Ils sont intelligents, ça ne fait aucun doute, et déterminés à mener les missions que vous leur confierez. Je suis impatient de les voir à l'œuvre dès demain. À présent, auriez-vous l'obligeance de me conduire à ma chambre ?

— Mais bien entendu, répondit Henderson, rassuré par l'approche non conventionnelle de Ramsgate. Mais peut-être aimeriez-vous boire un verre et rencontrer la surintendante McAfferty avant de vous mettre au lit ?

— Avec le plus grand plaisir !

— Un instant, capitaine, lança PT en quittant la table de jeu.

Il brandit un portefeuille, une carte d'identification de l'armée et un trousseau de clés.

— Ceci vous appartient, il me semble. Votre femme et votre fille sont adorables, sur les photos.

Abasourdi, Ramsgate explora fébrilement le contenu de ses poches.

— Fichtre ! gloussa-t-il. On dirait que je ne suis pas le seul à connaître quelques tours de passe-passe.

Mais Henderson se raidit.

— PT, faire usage de tes talents de pickpocket sur un officier est tout à fait inapproprié. Dieu merci, il semble se montrer compréhensif, mais tu as beaucoup de chance, tu peux me croire.

— Il fallait bien que quelqu'un vérifie son identité, répliqua le garçon. Et si nous avions eu affaire à un espion allemand ?

Henderson et Ramsgate éclatèrent de rire.

— Et qu'aurais-tu fait si ça avait été le cas ? demanda ce dernier.

— La semaine dernière, répondit Joël, Mr Henderson nous a appris à garrotter un ennemi avec un bout de fil de fer barbelé. Depuis, j'en garde un mètre sous mon matelas, au cas où.

— En forçant un peu, il paraît qu'on peut décapiter l'ennemi, ajouta PT avant d'émettre un gargouillement de circonstance.

— Très bien, sourit Henderson. Au lit, tout le monde. Extinction des feux dans dix minutes. Une journée chargée nous attend.

Sur ces mots, les deux officiers tournèrent les talons.

— Pourriez-vous me dire où se trouvent les toilettes ? demanda Ramsgate.

— À cet étage, je vais vous montrer. Cette salle de bains collective vient d'être installée. C'est l'occasion ou jamais de la visiter.

Tout sourire, les deux hommes s'engagèrent dans le couloir. PT, Paul, Marc et Rosie échangèrent des regards terrifiés.

— Ils vont trouver Luc ! dit Paul.

— Peut-être pas, répondit Tristan. Il a dû s'endormir, depuis le temps. De toute façon, je n'ai rien à voir avec cette histoire, et je ferais mieux de retourner dans ma chambre immédiatement. Bonne nuit !

— Nom de Dieu ! s'exclama Marc en se laissant tomber sur son lit. On est dans la mouise jusqu'au cou.

CHAPITRE QUATORZE

L'arrivée inopinée du capitaine Ramsgate et la découverte de l'incident survenu dans les douches contraignirent Henderson à renoncer aux répétitions du matin. Les recrues se levèrent à l'heure prévue puis coururent dans la campagne, sac au dos, comme tous les jours. En dépit de la migraine qui continuait à le torturer, Paul participa à l'exercice. Seul Marc, qui devait ménager ses poumons, en fut dispensé.

Peu après le petit déjeuner, un taxi s'immobilisa devant l'école. Le contre-amiral Hammer en descendit. Marc vint à sa rencontre.

— Plutôt réduit, comme comité d'accueil, plaisanta l'officier.

Mais le garçon, nerveux, avait perdu tout sens de l'ironie.

— Le capitaine Ramsgate a précisé que vous ne vouliez pas de cérémonie de bienvenue. On m'a chargé de vous conduire au stand de tir. Faites attention, il y a de la boue un peu partout.

— Eh bien, en route, sourit Hammer.

Ils contournèrent l'école et foulèrent le sol rocailleux.

Au loin, on entendait des tirs nourris.

— Puis-je me permettre de demander des nouvelles de votre père ? demanda Marc.

— Il tance les infirmières, se plaint de la nourriture et donne des coups de canne à son voisin de lit lorsqu'il ronfle trop fort. Il est redevenu lui-même, en somme. S'il demeure à l'hôpital, c'est à cause de son grand âge, pas de ses blessures.

Henderson, McAfferty et Ramsgate, alignés au garde-à-vous, adressèrent à Hammer un salut réglementaire. Les recrues du groupe A, couchées sur le sol gelé, visaient des silhouettes placées à cinquante mètres. Celles du groupe B visitaient le stand de tir pour la première fois. Farès, un instructeur né au Maroc, leur enseignait les avantages comparés des différentes postures de tir.

— À quoi cela rime-t-il ? demanda le contre-amiral Hammer. Les agents en mission d'infiltration ne sont pas censés faire feu sur tout ce qui bouge.

— Nous souhaitons que ces garçons puissent assurer leur sécurité en toutes circonstances, expliqua Henderson. Nous ne comptons pas leur fournir des armes, mais dans certaines situations, ils pourraient avoir à se défendre, ou à utiliser la force pour faciliter leur fuite. Ils s'entraînent trois fois par semaine au maniement du matériel français, anglais et britannique.

Hammer dégaina son arme de service.

— Tu tires bien ? demanda-t-il à Marc.

— Pas trop mal, monsieur.

Henderson esquissa un sourire.

— Marc est trop modeste. Il est le meilleur de son groupe.

— Que penses-tu de ce revolver, mon garçon ? demanda le contre-amiral.

Marc étudia l'arme à crosse d'ivoire. Il libéra le barillet et vit son visage se refléter dans le culot de six cartouches dorées.

— Je n'en ai jamais vu de semblable, avoua-t-il. Il m'a l'air ancien.

— C'est celui de mon grand-père. Mon père me l'a confié le jour où il a pris sa retraite. Crois-tu que tu serais capable d'atteindre l'un des pigeons qui se trouvent dans cet arbre, là-bas, à droite ?

Marc plissa les yeux et s'accorda quelques secondes de réflexion.

— J'en doute fort, monsieur. À cette distance, il me faudrait un sacré coup de veine.

— C'est parfaitement exact, sourit Hammer avant de replacer le revolver dans son étui. Et avec un fusil ?

— Peut-être. Mais ce ne sera pas facile, avec le soleil dans les yeux.

Le capitaine Ramsgate lui remit un fusil réglementaire de l'armée française. Marc s'assura qu'un chargeur était engagé, vérifia que la chambre était propre, plaça la crosse au creux de son épaule et visa.

— Lequel vas-tu abattre ? demanda Hammer.

— L'oiseau perché au bout de cette longue branche.

Marc était fébrile. Il devait réaliser un coup difficile en présence de quatre adultes scrupuleux qui observaient ses moindres gestes.

Il inspira profondément puis bloqua sa respiration. Le fusil français n'était pas réputé pour sa précision, et la petite taille de ses bras rendait la stabilisation délicate. Le front ruisselant de sueur, il s'efforça d'aligner la mire et le guidon.

Une fraction de seconde avant d'enfoncer la détente, il sentit un souffle de vent sur son visage et effectua une infime correction. Dès que la détonation retentit, une dizaine d'oiseaux prirent leur envol. L'un d'eux tomba comme une pierre au pied de l'arbre.

— Quel coup fantastique ! s'exclama le contre-amiral en adressant une grande claque dans le dos de Marc. Je me suis entretenu avec le ministre, la nuit dernière. Si quelques jeunes agents ayant suivi une formation de tireur d'élite étaient parachutés derrière les lignes ennemies, ils pourraient éliminer des hauts gradés allemands. Je vais pouvoir lui confirmer que vos garçons savent tirer.

Henderson et McAfferty échangèrent un sourire discret. À l'évidence, la dissolution de l'unité n'était plus à l'ordre du jour. Au contraire, on parlait en haut lieu des missions qui pourraient lui être confiées. Marc mit carrément les pieds dans le plat.

— Alors, ça veut dire qu'on va pouvoir continuer à se préparer ?

Henderson et McAfferty se raidirent, mais Hammer, qui éprouvait de la sympathie pour Marc, ne lui reprocha pas cette question un peu trop directe.

— J'ai chargé Ramsgate de s'assurer que vous n'étiez pas une bande de fous dangereux. Malgré les petits problèmes de discipline qu'il a pu observer, il pense que l'unité que vous êtes en train de mettre sur pied pourrait avoir un impact déterminant sur le cours de cette guerre. Hélas, le vice-maréchal Walker ne partage pas son point de vue, et il est à la tête du SOE, jusqu'à nouvel ordre, ce qui nous place dans une situation délicate.

— Foutues considérations politiques, gronda Henderson. J'espère que nous arrêterons de nous chamailler avant que le drapeau à croix gammée ne flotte au-dessus de Buckingham Palace.

— Quand vos agents seront-ils prêts à passer à l'action ? demanda Hammer.

— Les six membres du groupe A seront bientôt opérationnels, mais j'aimerais disposer d'un mois de plus pour parfaire leur entraînement. Seulement, Walker est notre seul contact dans la Royal Air Force, et sans parachutes, nous n'avons aucun moyen de gagner la France.

— Un mois ? Ça me paraît raisonnable. Est-ce que six sauts d'entraînement à la mi-février feraient l'affaire ?

— Ce serait inespéré, monsieur, se réjouit Henderson.

— Huit, ce serait parfait, ajouta McAfferty, si ce n'est pas trop demander.

— Très bien, dit le contre-amiral. Je vais demander quelques faveurs ici et là, mais vos garçons devront faire leurs preuves. Le SOE a établi quatre camps d'entraînement où il prépare des agents à intervenir dans les pays d'Europe sous occupation allemande. À l'issue de chaque session, les unités sont conduites en Écosse, pour participer à des exercices de largage et subir une ultime épreuve conçue par le vice-maréchal Walker.

— De quelle épreuve s'agit-il ? demanda Marc.

— Elle change à chaque fois, afin de préserver l'effet de surprise. Tout ce que je peux vous dire, c'est qu'il s'agit d'une authentique opération de terrain : monter à bord d'un bâtiment de la marine et s'emparer d'un canot de survie, dérober des documents dans un bâtiment ministériel, ce genre de choses.

Marc n'en croyait pas ses oreilles.

— Une véritable mission d'infiltration ? On ne risque pas de se prendre une balle dans la peau ?

— Si, c'est pourquoi il vous faudra agir prudemment. Mais si vous êtes capturés, vous ne serez ni torturés ni fusillés par la Gestapo, comme ce serait le cas en France occupée, mais simplement reconduits à la base aérienne. Pour le reste, vous serez confrontés aux mêmes dangers qu'un agent allemand parachuté en Grande-Bretagne.

Henderson prit la parole.

— Les services de renseignement utilisent cette méthode d'entraînement sur son propre territoire depuis de nombreuses années. En temps de guerre, elle permet également d'éprouver les mesures de sécurité mises en œuvre par la police et la Home Guard[4].

— Je n'ai pas le pouvoir d'intervenir directement auprès du vice-maréchal Walker, expliqua Hammer, mais j'ai persuadé le ministre de suspendre son enquête jusqu'à ce que votre programme d'entraînement soit achevé. Ensuite, avec les appuis dont vous disposez, il sera impossible de dissoudre votre organisation, pourvu que vos garçons démontrent qu'ils sont capables d'accomplir ces épreuves aussi efficacement que des adultes.

— Amiral, merci de tout cœur de tenter l'impossible pour sauver notre petite unité, sourit McAfferty.

Henderson hocha la tête.

— Je n'ai jamais exigé que l'état-major me fournisse un blanc-seing. Vous répondez à ma seule attente en m'offrant une chance de prouver la validité de mes théories. Aimeriez-vous que je vous fasse visiter nos installations ?

Hammer consulta sa montre.

— Je dois me rendre aux chantiers navals de Newcastle pour arbitrer un différend entre fournisseurs. En voilà encore qui ne semblent pas avoir réalisé que nous sommes en guerre. Le train part à dix heures et quart.

4. Unité composée de civils chargée de la défense du territoire dans l'hypothèse d'une invasion ennemie (NdT).

Auriez-vous tout simplement l'obligeance de nous conduire à la gare aussi vite que possible ?

— Avec plaisir, monsieur, répondit Henderson.

Il adressa au capitaine un salut militaire, puis ordonna à Farès de conduire ses hôtes jusqu'à la petite Austin de service.

Le contre-amiral et son adjoint quittèrent la base sans même passer en revue les recrues qui s'entraînaient au tir couché à l'autre extrémité du stand. Lorsque les armes furent nettoyées et remisées dans l'armurerie, McAfferty réunit agents et membres du personnel dans la cour de l'école et annonça solennellement que l'unité était provisoirement sauvée.

Un concert d'applaudissements et de cris joyeux salua cette déclaration.

— Mais ce n'est que le début d'une longue bataille, ajouta la surintendante. Nous devrons poursuivre nos efforts sans faiblir. Deux nouvelles recrues nous rejoindront demain, ce qui permettra au groupe B d'entamer officiellement le programme d'entraînement dès lundi.

Les agents s'enthousiasmèrent de plus belle. Seul Martin semblait abattu, car il se savait condamné à quitter le dortoir de son frère pour rejoindre celui des jeunes résidents.

— À l'exception du groupe A, tout le monde a quartier libre. Rendez-vous dans le préau dans une heure, pour l'entraînement au combat à mains nues.

Les recrues concernées se dispersèrent en piaillant, laissant Paul, Rosie, Marc, PT, Joël et Luc en compagnie d'Henderson et de McAfferty.

— Garde à vous ! tonna cette dernière.

Les six agents claquèrent les talons.

— Ce qui s'est passé la nuit dernière est *inqualifiable*. C'est un miracle si le capitaine Ramsgate n'a pas découvert Luc ligoté dans les douches. Vous rendez-vous compte que nous avons frôlé la dissolution immédiate ? Vous devriez *tous* avoir honte.

Luc s'éclaircit bruyamment la gorge. Henderson se planta devant lui et hurla :

— Je ne veux pas entendre un bruit !

— Tu as quelque chose à dire ? rugit McAfferty. Eh bien vas-y, exprime-toi. Je suis tout ouïe !

— Avec tout le respect que je vous dois, madame, murmura Luc avec une humilité dont il n'était pas coutumier, je ne me suis pas ligoté *tout seul*.

— Certes, mais j'ai fait ma petite enquête auprès des autres recrues, et j'ai appris que tu passais le plus clair de ton temps à maltraiter ce pauvre Paul. Ce qui ne rend pas le traitement qui t'a été infligé plus acceptable, je le précise. Quelque chose à ajouter ?

— Non, madame.

— Relève la tête et ne t'avise pas de jouer les victimes ! gronda Henderson. Obéis, ou je m'occupe personnellement de ton cas.

— Vous resterez dehors jusqu'à nouvel ordre et pourrez méditer les conséquences de vos actes, annonça

143

McAfferty. Vous resterez parfaitement immobiles. Vous n'aurez rien à manger ni à boire. Vous ne pourrez pas vous rendre aux toilettes. Pendant ce temps, Mr Henderson et moi-même discuterons de votre avenir dans cette organisation, avant de prendre les décisions qui s'imposent.

CHAPITRE QUINZE

Henderson décrocha le téléphone posé sur son bureau.

— Garage Unicorn Tyre à l'appareil, dit-il.

— Henderson, espèce de faux-cul ! hurla le vice-maréchal Walker. Je suis votre supérieur, oui ou non ?

— Je respecte scrupuleusement votre autorité, monsieur.

— Alors vous pourrez sans doute m'expliquer le sens du télégramme que je viens de recevoir ? *Suite à décision du cabinet ministériel, interrompre enquête concernant Espionage Research Unit B STOP Autoriser groupe à terminer entraînement STOP Décision sera prise après examen de ses résultats STOP*

Henderson parla d'une voix faussement outragée.

— Je puis vous assurer que je n'ai rien à voir avec cet ordre.

— Balivernes ! Il s'agissait d'une enquête interne des services secrets. Personne n'en connaissait l'existence à l'échelon ministériel. Je ne sais pas qui vous avez dans la poche, Henderson, mais sachez que vous vous êtes fait un ennemi. Ne vous en déplaise, je suis *toujours* votre supérieur, et j'ai les moyens de vous en faire baver. Et ceci vaut aussi pour l'Écossaise pète-sec qui dirige votre misérable organisation.

— Je suis désolé que vous le preniez de cette façon, monsieur, dit Henderson, qui éprouvait quelque difficulté à ne pas éclater de rire. Pendant que je vous tiens, il y a une question qui me chiffonne. Vous êtes en place depuis six mois, si ma mémoire est bonne. Vous avez établi quatre centres d'entraînement et disposez de quatre cents gratte-papier à Baker Street. Pourtant, corrigez-moi si je me trompe, mais il me semble que malgré cet important dispositif, vous n'avez pas été capable de mener à bien une seule mission opérationnelle en France occupée.

Un gargouillement étrange se fit entendre à l'autre bout de la ligne.

— Votre carrière est terminée, Henderson ! s'époumona Walker. Je vais vous envoyer creuser des tranchées au fin fond de l'Afrique !

— Si nous perdons la guerre, nous devrons tous tirer un trait sur notre carrière.

— Je ne peux pas dissoudre votre unité, mais je saisirai la première occasion pour vous écraser. Je ne vous laisserai pas manœuvrer en douce dans les couloirs de Whitehall sans réagir !

— Vous êtes fâché contre moi, monsieur ? ironisa Henderson. Vous devriez respirer à fond et tâcher de vous calmer.

— C'est de l'insubordination, gronda le vice-maréchal Walker. Je pourrais vous traîner devant une cour martiale.

— Le problème, c'est que notre organisation dépend de plusieurs services. Si vous voulez me traduire en cour martiale, il vous faudra en référer à mon supérieur direct, la surintendante McAfferty, qui appartient à la Navy. Elle est assise en face de moi. Voulez-vous lui parler, monsieur ?

Henderson entendit des sons confus et supposa que son interlocuteur était en train de froisser rageusement des documents. Puis la liaison fut interrompue.

— Je crois comprendre qu'il ne le prend pas très bien, sourit McAfferty en s'asseyant sur le bureau de son collègue.

— Il m'a prié de te transmettre ses amitiés.

— Tu n'aurais pas dû te moquer de lui aussi ouvertement.

— La courtoisie n'y aurait sans doute rien changé, précisa Henderson. Je crois qu'il nous méprise à cause de nos origines modestes.

McAfferty se tourna vers la fenêtre et considéra les six recrues qui se tenaient au garde-à-vous dans la cour.

— Qu'est-ce qu'on va faire d'eux ?

— Ils sont dehors depuis une heure et demie, répondit Henderson en jetant un coup d'œil à sa montre. Ils risquent l'hypothermie.

— Je vais demander à Pippa de préparer des boissons chaudes et de les faire entrer. Mais pour Luc, que décide-t-on ?

— C'est une petite ordure.

— Tu penses qu'on devrait le chasser de l'organisation ?

Henderson secoua la tête.

— C'est aussi un agent de premier ordre. Oh, il n'a rien d'un génie, mais il lit admirablement bien les cartes et il ment comme il respire. Sur le plan physique, personne n'arrive à sa hauteur. Non seulement il est extrêmement puissant, mais il peut courir deux fois huit kilomètres sac au dos, avec une pause de dix minutes.

— Mais il est *infect*, fit observer McAfferty. Et Paul est tellement adorable. Il faut être pervers pour s'en prendre à lui.

— En effet, soupira Henderson. Mais imagine que nous soyons chargés d'une mission consistant à sauter en zone occupée, à poser une bombe puis rejoindre un point d'exfiltration à quarante kilomètres de la cible, qui choisirais-tu ?

— Luc, répondit la surintendante. Sans l'ombre d'une hésitation. Mais ce garçon est un poison. Ses camarades le détestent.

— Ils ont prouvé qu'il ne pouvait rien contre eux tant qu'ils restaient soudés. Pour être honnête, je crois que l'humiliation qu'il a subie lui sera sans doute plus profitable que toutes les punitions que nous pourrions lui infliger.

McAfferty contempla les enfants rassemblés dans la cour et esquissa un sourire.

— Au fond, nous sommes devenus sans le vouloir les parents d'une douzaine de petits. Regarde-les. Ils ont chacun leur personnalité et un passé plutôt chargé, mais ce ne sont encore que des enfants.

— Et tu te demandes si nous ne faisons pas fausse route, ajouta Henderson. Moi aussi, il m'arrive de me poser des questions, mais nous sommes en guerre contre le mal absolu. Nous devons tout faire pour mettre un terme à ce conflit.

— Je sais. Mais je suis responsable de cette unité, et je ne peux pas m'empêcher de me demander combien d'entre eux trouveront la mort à cause de nous.

DEUXIÈME PARTIE

Février 1941

CHAPITRE SEIZE

Takada et les six agents du groupe A gagnèrent l'Écosse à bord d'un train de nuit. Au matin, après avoir pris un petit déjeuner sommaire au buffet de la gare d'Édimbourg en compagnie de machinistes noirs de suie et d'ivrognes qui avaient raté le dernier express de la veille, ils empruntèrent un tortillard composé de trois wagons afin de rejoindre la région des Highlands.

Le train n'ayant embarqué qu'une douzaine de passagers, les enfants s'enfermèrent dans un compartiment pour chahuter à leur guise. L'instructeur s'isola dans l'espace voisin afin d'éplucher des documents concernant l'avancée allemande en Afrique du Nord et les dégâts provoqués sur les navires marchands par les mines flottantes dispersées aux environs de Falmouth.

Sa lecture achevée, bercé par le halètement de la machine à vapeur et le grincement discret des porte-bagages, il admira les montagnes aux sommets enneigés. La guerre lui paraissait étonnamment lointaine. Pourtant, même en cette région reculée, les panneaux indiquant le nom des gares avaient été badigeonnés de peinture. À chaque arrêt, le chef de train descendait pour hurler à pleins poumons le nom de la localité.

Lorsque ce dernier annonça Braco Lodge, les agents, pris de court, rassemblèrent fébrilement sacs et valises. Rosie bondit sur le quai et supplia le fonctionnaire de retenir le convoi. Tandis que ses camarades se ruaient à l'extérieur, elle frappa à la fenêtre du compartiment de Takada.

— C'est ici qu'on descend ! cria-t-elle au moment où le chef de train lançait un coup de sifflet.

Par chance, la locomotive s'ébranla avec une extrême lenteur, si bien que Takada put jeter ses bagages par la portière, sauter du wagon et rouler jambes par-dessus tête sur les planches inclinées qui marquaient l'extrémité du quai.

— Vous auriez pu m'avertir ! gronda-t-il. Personne n'a pensé à compter les stations ?

PT s'éclaircit la gorge.

— En fait, comme vous êtes le seul adulte, on pensait que c'était à vous de nous prévenir.

— Ça doit faire partie de l'entraînement, ricana Marc. On commence par se jeter d'un train en marche, puis on saute d'un avion.

Takada, connu pour son absence totale de sens de l'humour, le fusilla du regard.

— J'aimerais avoir le temps de dessiner ce paysage, dit Paul en admirant les montagnes et les oiseaux qui planaient dans le ciel d'azur. C'est à couper le souffle.

— C'est nul, grinça Luc. Je *déteste* la campagne.

— Alors, où sommes-nous ? demanda Rosie en inspectant les abords de la petite gare. Est-on censés marcher ?

— Il y a un poteau indicateur, là-bas, dit Joël, mais je parie que les inscriptions ont été effacées.

À cet instant, un homme trapu vêtu de l'uniforme d'une unité parachutiste jaillit des fourrés situés de l'autre côté de la voie.

— Votre arrivée n'était pas très discrète, mais vous m'avez bien fait rire, lança-t-il sur un ton enjoué. Je suis le sergent Parris, avec deux R. Je suis garé en bas de la colline. Inutile d'attendre plus longtemps. Ces imbéciles de Polonais ont raté leur correspondance à Glasgow.

Les agents suivirent le sergent le long d'un sentier escarpé jusqu'à un camion bâché de la Royal Air Force. Ils y entassèrent leurs bagages puis prirent place sur des bancs de bois, à l'arrière du véhicule.

Le camion s'engagea sur une route forestière si étroite que les branchages battaient la bâche, puis il déboucha au-dessus de la vallée où était niché le terrain d'aviation.

Une clôture surmontée de fil de fer barbelé en délimitait le périmètre. Au-delà, on apercevait des baraques en bois, deux grands hangars et une manche à air gonflée par le vent qui soufflait depuis les collines avoisinantes.

Le camion s'immobilisa sur la place d'armes.

— Nous y sommes, annonça Parris en mettant pied à terre. Baraquements A à G, logements ; H, bureau de l'administration ; J, Latrines ; K, douches ; L, quartiers des femmes ; N, cuisines ; O et P, salles de cours ; Q, infirmerie. Tout au bout se trouvent les hangars Brahms et Liszt. Un emploi du temps et une carte de la base sont affichés sur la porte de votre dortoir. Ici, nous formons les membres des forces spéciales, de l'Intelligence Service et du SOE aux opérations aéroportées. Par mesure de confidentialité, il est formellement interdit de communiquer avec les élèves des autres groupes. Vous prendrez vos repas dans le dortoir et rapporterez le chariot aux cuisines. Pour ce qui est des distractions, chacun de vous trouvera un jeu de dames et une bible dans son pot de chambre, sous son lit. Des questions ?

Parris avait parlé à une telle vitesse que les agents n'avaient guère pu retenir que la moitié de ses explications, mais personne n'osa lever la main.

— Parfait. Étudiez attentivement l'emploi du temps puis présentez-vous à la visite médicale à onze heures et quart.

Le camp avait ouvert ses portes quelques mois plus tôt, mais le confort était des plus spartiates. Chaque baraquement disposait d'une petite pièce destinée à l'officier responsable de l'unité près de l'entrée, de douze lits étroits à cadre de bois non verni équipés de matelas extrêmement fins, de deux tables sommaires et d'une collection de tabourets.

Après avoir déposé leurs bagages, les agents se rassemblèrent pour consulter le programme affiché sur la porte.

— On doit sauter dès *demain* ! s'esclaffa nerveusement Rosie. Je pensais qu'on s'entraînerait au sol au moins jusqu'à mardi !

Joël lui frotta affectueusement l'épaule.

— Ne te fais pas de souci pour ça. Il suffit de descendre de l'avion en plein vol, et la gravité s'occupe du reste.

— Je pense que nous commencerons par sauter d'une tour ou d'un ballon, fit observer Luc.

— Oh mon Dieu, gloussa Rosie en enfouissant son visage dans ses mains. Je vais mourir.

— Ma parole, mais c'est la première fois que je te vois flancher ! dit Paul. T'inquiète. Je suis sûr que tu t'en sortiras très bien, comme d'habitude.

L'horloge murale n'avait pas été remontée, et seul Takada possédait une montre. Il avertit les agents qu'ils disposaient de dix minutes pour passer des vêtements légers et chausser des tennis, comme l'exigeait le document punaisé sur la porte.

Le médecin chargé de l'examen de routine écarquilla brièvement les yeux lorsqu'il vit débarquer des enfants dans son dispensaire, puis il se contenta de cocher des cases de formulaire sans poser de questions indiscrètes.

Marc fut examiné le premier. Il souleva son maillot de corps afin que le docteur puisse y poser son stéthoscope et estimer sa fréquence cardiaque.

— Tousse, ordonna ce dernier avant de citer une interminable liste d'affections.

Marc secoua la tête à chacune de ses questions. L'homme détacha l'imprimé de son porte-bloc et lui remit une copie carbone.

— Apte, dit-il. Suivant.

Marc quitta le baraquement et patienta dans le froid mordant. Une jolie fille âgée d'une vingtaine d'années, vêtue d'un short et d'un pull militaires, étendait du linge tout juste sorti de la lessiveuse. Elle se tourna dans sa direction et lui adressa un sourire radieux. Il rougit jusqu'à la racine des cheveux.

Joël franchit la porte du dispensaire et se planta près de lui, formulaire en main.

— Quel joli spectacle, chuchota-t-il à son oreille.

Marc émit un gloussement faussement indigné. Joël glissa deux doigts dans sa bouche et lança un sifflement perçant.

— Arrête! gémit Marc. C'est extrêmement gênant.

La jeune fille, nullement embarrassée, leur souffla un baiser, ramassa sa corbeille et fit trois pas en direction d'une autre section de fil à linge.

— Tu as déjà embrassé une fille? demanda Joël.

— Quand je vivais à l'orphelinat, j'en pinçais pour Jade, la fille du propriétaire de la ferme d'à côté.

Joël perçut un soupçon de nostalgie dans la confidence de son ami. Il ne put résister à l'envie de l'asticoter.

— Elle a dû se trouver un fier soldat allemand pour fiancé, à l'heure qu'il est.

Marc secoua la tête avec mépris.

— Elle a notre âge, je te signale.

— Oh, notre Marc est amoureux, sourit Joël avant de parler d'une voix rappelant la bande-annonce d'un film hollywoodien. Marc et Jade, deux amoureux séparés par le destin... Plongés dans la tourmente de la guerre, parviendront-ils à se retrouver ?

— Ferme-la, grogna Marc en portant à son camarade un léger coup de poing à l'abdomen. On ne faisait que discuter. On s'est câlinés une ou deux fois. Mais je suis certain que tu n'en as même pas fait autant.

Luc jaillit de l'infirmerie.

— Wow, visez un peu cette fille ! s'exclama-t-il en apercevant la jeune femme penchée au-dessus de son panier à linge.

Sur ces mots, il siffla à son tour.

Cette fois, elle se retourna vivement et lui adressa un doigt d'honneur.

∴

Le hangar Brahms abritait deux bombardiers Wellington. Le hangar Liszt, lui, était aménagé pour l'entraînement au sol. Les appareillages qui y étaient rassemblés évoquaient des portiques pour enfants démesurés et des instruments de torture médiévaux.

159

Il y avait là des harnais, des balançoires et deux reproductions de fuselage grandeur nature. Une plate-forme aménagée contre l'une des parois permettait de sauter d'une vingtaine de mètres et d'atterrir sur un matelas de plumes.

Le sergent Parris et ses quatre adjoints étaient chargés de l'instruction de vingt-quatre agents. Outre Takada et ses six recrues, les effectifs comptaient quatre espions polonais, cinq Norvégiennes accompagnées de leur officier, et sept Français à la mine sombre vêtus d'uniformes de l'armée britannique.

Lorsqu'ils eurent assisté à la projection d'un film de cinquante-cinq minutes retraçant l'histoire du parachutisme et écouté le laïus d'introduction de l'instructeur en chef, les adjoints attribuèrent à chaque groupe une appellation d'un goût douteux : les Polaks, les Pépées, les Grenouilles et les Mioches.

Ces derniers, accompagnés de leur instructeur, commencèrent par se familiariser avec les fuselages, sous le commandement de Tweed, un caporal écossais au visage couperosé. Il leur permit de visiter librement les cabines confinées et leur expliqua que certains sauts s'effectuaient par la porte, les autres par une écoutille ouverte dans le sol de la carlingue, en fonction des caractéristiques de l'avion.

Sur ses ordres, ils se mirent en rang puis sautèrent à tour de rôle. Les agents, d'humeur joyeuse, prirent plaisir à rouler sur les matelas disposés au pied des appareils factices. Paul constata avec ravissement que cette activité-là n'était qu'une question de technique et de coordination. Pour une fois, sa taille ne le désavantagerait pas, et il pouvait espérer ne pas finir dernier.

Tweed distribua un parachute à chacun des sept membres de l'équipe puis leur apprit à en régler les sangles. Ensuite, Marc et PT furent hissés à l'extrémité d'un palan et restèrent suspendus dans les airs, les pieds à hauteur de la tête de leurs camarades.

Tandis qu'ils se balançaient parachute au dos, Tweed leur expliqua comment contrôler l'angle de descente en manœuvrant les élévateurs et en corrigeant la position du corps. Il provoqua un concert d'éclats de rire en relâchant sans crier gare la poulie qui maintenait ses cobayes à mi-hauteur, si bien que ces derniers s'écrasèrent lourdement sur le sol.

— Ceci illustre parfaitement l'aspect le plus délicat de cette activité, expliqua-t-il pendant que Marc et PT se redressaient péniblement. N'importe qui peut se jeter d'un avion en plein vol. Tout ce qui importe, c'est de maîtriser votre vitesse et d'éviter les arbres qui pourraient se dresser sur votre trajectoire.

Tweed effectua une démonstration de roulé-boulé, une manœuvre censée amortir le choc à l'atterrissage. Les élèves n'eurent aucun mal à l'imiter, car ce geste était comparable aux techniques de chute que leur avait enseignées Mr Takada au cours de séances d'entraînement au combat.

Enfin, ils purent passer aux choses sérieuses. Ils grimpèrent au sommet d'échelles de trois mètres et durent se réceptionner sur de fins matelas. À sa première tentative, les chevilles de Paul heurtèrent violemment le sol, et une vive douleur irradia dans tout son corps.

Constatant avec étonnement que Tweed ne lui adressait aucune réprimande, il se risqua à l'interroger.

— Monsieur, je ne sais pas trop ce que j'ai fait de travers.

— Tu n'as commis aucune erreur, mon garçon, répondit l'instructeur à haute voix, de manière à ce que toutes les recrues puissent profiter de la leçon. Même en te réceptionnant à la perfection, tu te feras mal, tu peux me croire. Tu ne peux rien y faire. Maintenant, sache que pour terminer cette épreuve, tu vas devoir renouveler la manœuvre à trois reprises.

En gravissant les échelons, Paul aperçut un agent polonais qui se tordait de douleur, à l'autre bout du hangar, au pied d'une échelle identique. Son instructeur semblait beaucoup moins compréhensif.

À la fin de l'exercice, Tweed félicita chaleureusement Takada et ses agents.

— Je vous ai enseigné tout ce que vous deviez savoir pour réaliser un saut dans des conditions réelles, expliqua-t-il. À présent, il ne vous reste plus qu'à répéter ces gestes de façon à pouvoir les accomplir sans réfléchir, par grand vent, par temps orageux et en pleine nuit.

CHAPITRE DIX-SEPT

Après le déjeuner, les apprentis espions, qui n'avaient pour la plupart jamais pris l'avion, s'entassèrent à bord d'un Wellington pour participer à leur baptême de l'air.

Marc et PT furent les premiers à embarquer. Ils se précipitèrent vers le dôme de verre de la tourelle arrière et se disputèrent la place du mitrailleur. Parris les rappela fermement à l'ordre.

La cabine exiguë ne disposant pas de sièges, les autres agents, enfants et adultes, s'assirent sur le sol de tôle ou s'agrippèrent aux dragonnes de cuir suspendues au plafond.

Tous saluèrent le décollage par un concert d'applaudissements. À mesure que l'avion prenait de l'altitude, des gouttelettes de condensation se formèrent à l'intérieur du fuselage, et la température tomba en dessous de zéro.

Ignorant les instructions de Tweed, Rosie ne s'était pas vêtue chaudement. Elle se pelotonna contre PT, les genoux repliés sur la poitrine et les mains glissées sous les aisselles.

Soudain, l'appareil descendit en piqué. Les passagers glissèrent en hurlant sur le sol de la cabine. Aveuglés par le soleil qui brillait désormais dans l'axe de la tourelle, Marc et PT fermèrent les paupières. Alors, l'avion se redressa, puis inversa sa trajectoire. Derrière le dôme de verre, ils découvrirent avec stupéfaction que l'avion ne se trouvait qu'à une trentaine de mètres du sol.

La voix du pilote résonna dans l'intercom.

— Y en a-t-il parmi vous qui aimeraient que je répète cette petite acrobatie ?

Des rires nerveux fusèrent.

— Non merci ! répondirent en chœur plusieurs recrues.

Le bombardier se stabilisa à quatre cents mètres d'altitude. Le sergent Parris ouvrit la porte située derrière l'aile droite.

— En ligne ! ordonna-t-il, l'uniforme chahuté par le vent furieux. Je veux que vous regardiez en bas, afin de prendre la mesure de ce qui vous attend. La prochaine fois que vous vous trouverez devant cette porte, il faudra sauter.

Les Polonais furent les premiers à tenter l'expérience. L'un après l'autre, ils approchèrent en roulant des mécaniques, mais se montrèrent plus prudents aux abords de l'ouverture.

Lorsque Takada se fut penché au-dessus du vide, PT et Rosie s'avancèrent main dans la main pour regarder défiler les collines verdoyantes. Joël, pâle comme un linge, n'y lança qu'un bref coup d'œil. Son tour venu, Luc cracha par la porte.

— J'aimerais bien voir la tête du fermier qui recevra ça sur la tête, ricana-t-il.

Sans prononcer un mot, Takada et Parris le foudroyèrent du regard.

Le pilote entama un virage afin d'aligner l'appareil dans l'axe de la piste. Marc et Paul furent les derniers à contempler la perspective vertigineuse.

— Les voitures, les maisons, les animaux… on dirait des jouets, s'émerveilla ce dernier.

Marc prit une profonde inspiration, baissa les yeux et sentit ses jambes se dérober.

— Mon Dieu, soupira-t-il.

— À présent, annonça le sergent Parris en fermant la porte, nous allons vous ramener à la base. Vous tâcherez de vous reposer, car je vous veux en pleine forme pour l'exercice de demain.

Paul constata que son camarade était resté figé. Il l'entraîna vers l'arrière de la cabine.

— Tout va bien ? demanda-t-il.

Marc s'adossa au fuselage et s'agrippa à l'une des dragonnes.

— Non, pas vraiment. Je viens de découvrir que j'avais une sainte horreur du vide.

• •
•

De retour dans leurs quartiers, les agents passèrent le reste de l'après-midi à chahuter et à commenter gaiement l'exercice, mais leur enthousiasme s'évanouit à l'heure du dîner. Les pommes de terre étaient trop cuites, la sauce figée et les tranches de gigot d'une fraîcheur douteuse.

— Ah, la nourriture anglaise ! grogna Joël en repoussant son assiette, l'air dégoûté.

— *Écossaise*, précisa Rosie, qui ne tolérait pas qu'on critique le pays natal de son défunt père.

— Oui, approuva Paul. La cuisine de Pippa est délicieuse.

— Meilleure que ces patates à l'eau, c'est certain, mais elle manque un peu de goût, estima Luc. Du beurre, de l'ail, un peu d'amour. Voilà les ingrédients de la bonne cuisine.

Paul sourit.

— À Paris, ils doivent être au régime saucisses et choucroute, en ce moment.

Luc se contenta de froncer les sourcils. Depuis que ses camarades l'avaient corrigé, il avait cessé de se comporter comme un tyran. Parfois, il essayait même de se montrer agréable, mais Paul le soupçonnait de chercher à gagner l'amitié des membres du groupe par calcul.

Le repas terminé, Takada désigna Marc et Luc.

— Débarrassez la table et ramenez le chariot aux cuisines.

— Pourquoi moi ? protesta Marc.

Takada lui donna une claque à l'arrière de la tête.

— Parce que j'en ai décidé ainsi. Exécution !

Paul, ravi d'échapper à la corvée, s'étendit sur sa couchette. Armé de son carnet et de ses crayons de couleur,

166

il entreprit de dessiner le paysage aperçu depuis la porte ouverte de l'avion. PT et Rosie roucoulaient sur le lit situé près de l'entrée.

Joël quitta la baraque derrière Luc et Marc.

— Où est-ce que tu vas ? demanda ce dernier.

— Je vous accompagne. Je m'ennuie avec l'artiste et les amoureux. Au moins, j'ai une bonne excuse pour prendre l'air quelques minutes.

Les cuisines étaient situées à deux cents mètres du dortoir. En théorie, tout le territoire du Royaume-Uni était soumis au black-out, mais les avions allemands ne perdaient pas leur temps à bombarder la campagne écossaise. En conséquence, le personnel de la base n'appliquait pas ces mesures à la lettre.

La lumière brillait aux fenêtres des baraquements. Devant la porte ouverte du hangar Brahms, une équipe de techniciens réparait un Hurricane qui avait effectué un atterrissage d'urgence après un incident survenu lors d'une patrouille en mer du Nord.

Derrière les cuisines se trouvaient les quartiers des auxiliaires féminins. Le linge qui séchait aux abords était raidi par le froid.

— Qu'est-ce que vous pensez de la fille qu'on a aperçue en sortant de l'infirmerie ? demanda Joël. Plutôt mignonne, non ?

— Une traînée, si tu veux mon avis, dit Luc.

Marc sourit.

— Tu es un expert, je suppose.

— Sa mère lui a appris tout ce qu'il y avait à savoir

sur le sujet, ricana Joël. C'est la plus grande traînée que la France ait jamais connue.

Hors de lui, Luc le saisit par le cou et frotta vigoureusement ses phalanges au sommet de son crâne.

— Si tu parles encore une fois de ma mère, je te massacre.

Un mois plus tôt, Joël aurait sans nul doute récolté un œil au beurre noir, mais Luc, échaudé par la correction qui lui avait été infligée, s'était radouci. Il relâcha sa victime et lui adressa un coup de pied aux fesses. Marc abandonna le chariot devant la porte des cuisines puis marcha vers le baraquement des femmes.

— Eh, tu te trompes de sens, l'avertit Joël.

— Je vais jeter un œil, chuchota Marc. Cette fille m'a fait un effet terrible.

— Attends-moi. Si ça se trouve, il y a plein de femmes dans cette baraque. Avec un peu de chance, elles sont en petite tenue, à cette heure-ci…

Luc ne partageait pas l'enthousiasme de ses coéquipiers.

— Si leur dortoir est aussi bien chauffé que le nôtre, elles doivent plutôt porter des bonnets et des gants fourrés.

Pourtant, craignant de s'ennuyer dans le dortoir en attendant l'heure du coucher, il suivit ses camarades jusqu'à la baraque des WAAFs[5].

5. *Women's Auxiliary Air Force* : auxiliaires féminines de l'armée de l'air (NdT).

Marc s'approcha de l'une des fenêtres, colla son visage à l'étroit espace qui séparait les rideaux et découvrit une femme d'âge mûr étendue sur son lit, engoncée dans une épaisse chemise de nuit. Elle était si proche qu'il pouvait déchiffrer sans difficulté les caractères du roman à l'eau de rose dans lequel elle était plongée.

À l'autre bout du dortoir, une jeune fille d'une vingtaine d'années portant des sous-vêtements noirs fumait une cigarette. Elle n'avait rien d'un prix de beauté, mais sa vision embrasa l'esprit des trois garçons qui n'avaient, de toute leur existence, connu que de très rares contacts avec les membres du sexe opposé.

— Viens par là, poupée, chuchota Luc. Tu es en mon pouvoir. Tourne-toi légèrement et retire ce foutu soutien-gorge, je le veux...

Joël ne put réprimer un discret éclat de rire. Marc posa une main sur sa bouche. Une auxiliaire de haute stature, qui ne portait qu'une culotte et un chemisier d'uniforme, s'approcha de sa collègue et lui demanda une cigarette.

Médusés, les garçons purent admirer son postérieur lorsqu'elle se pencha pour attraper un briquet sur la table de nuit.

— Moi, je préfère la grande, sourit Marc. Elle a de jolies chevilles.

— Ses chevilles ? gloussa Luc. Qu'est-ce que tu peux bien lui trouver, à ses chevilles ?

Alors, un cri retentit dans leur dos.

— Eh ! Qu'est-ce que vous fabriquez, vous trois ?

Sous l'effet de la surprise, Marc tressaillit et se cogna le front contre la vitre.

La femme allongée de l'autre côté de la cloison tourna la tête et hurla :

— Sale petit voyeur !

Luc fit volte-face et découvrit un caporal de la police militaire accompagné de son berger allemand. L'animal lâcha trois aboiements féroces.

— On est dans de sales draps, dit Joël, tandis que Marc se mettait à courir.

— Halte ! ordonna le soldat, ou je lâche le chien.

Joël savait qu'il courait beaucoup plus vite que Luc. Certain que le molosse planterait ses crocs dans le premier derrière venu, il décida de déguerpir à son tour.

Dès que le militaire eut détaché sa laisse, le berger allemand se lança à la poursuite des fuyards. Au moment précis où Joël atteignit l'angle de la baraque, il reçut un violent coup de balai à hauteur des genoux et roula dans l'herbe humide.

Il s'immobilisa sur le dos, essuya une seconde attaque, et trouva les deux jeunes femmes qu'il avait espionnées penchées au-dessus de lui, vêtues d'épaisses robes de chambre. La plus menue brandissait un balai. La plus grande gardait les poings posés sur les hanches. Il considéra ses chevilles, et les trouva plus adorables que jamais.

— Espèce de voyou ! dit la première, avec un fort accent de Birmingham, avant de le frapper à nouveau.

Si je te surprends encore à traîner près de notre baraquement, je te garantis que tu le regretteras.

Sa collègue la repoussa du coude et parla d'une voix
qui trahissait ses origines écossaises.

— Ce n'est qu'un gamin, voyons. Allez, mon garçon,
relève-toi et retourne dans ton dortoir avant de récolter
d'autres bleus.

L'herbe était couverte de givre. Joël, trempé, se
redressa péniblement et frissonna de façon incontrô-
lable.

— Je suis désolé, bredouilla-t-il. Je n'avais pas l'intention de vous manquer de respect.

Craignant d'être interpellé par le caporal de la police
militaire, il tourna les talons et trottina vers le baraquement du groupe A. À peine eut-il enchaîné une dizaine
de foulées qu'un hurlement déchirant se fit entendre.

— AAAAARGH, mon Dieu ! Mon bras, mon bras ! Au
nom du ciel, ce chien va me dévorer vivant !

CHAPITRE DIX-HUIT

À six heures du matin, alors que ses camarades dormaient encore à poings fermés, PT ouvrit discrètement la valise rangée sous son lit et en tira un paquet cadeau. Il marcha à pas de loup vers la couchette de Rosie et déposa le présent au coin de son oreiller. Au moment où il tournait les talons, la jeune fille souleva une paupière.

Elle lâcha un bâillement, esquissa un sourire puis se dressa sur un coude.

— Je ne voulais pas te réveiller, chuchota PT. Je suis désolé.

Rosie saisit le paquet rectangulaire et en déchira l'emballage. C'était un carnet à la couverture recouverte de tissu violet. Elle en tourna la première page et découvrit l'inscription *Joyeux Quatorzième Anniversaire* artistiquement tracée de la main de Paul. Tous les agents de l'*Espionage Research Unit B* y avaient apposé leur nom.

— C'est magnifique, dit-elle.

PT haussa les épaules avec modestie.

— Tu devrais remercier Paul, même si c'est moi qui ai acheté ce carnet quand on est descendus en ville.

— Mon petit frère a tellement de talent... Moi, chaque fois que je m'essaye au dessin, je suis incapable de reproduire ce que j'imagine.

— C'est exactement ce qui m'est arrivé lorsque j'ai voulu décorer la page de garde de ton cadeau.

Rosie s'adossa contre la tête du lit. PT s'installa à ses côtés. Elle déposa un baiser sur sa joue et se sentit submergée par l'émotion.

Ses souvenirs l'emportèrent un an plus tôt, au temps où elle n'était encore qu'une petite fille comme les autres. Elle avait fêté son treizième anniversaire à Paris. À la sortie du collège, son père l'avait emmenée dans un salon de thé en compagnie de trois amies. Elles avaient joué les grandes dames, bu du café et picoré des petits-fours dans un présentoir en argent à trois étages posé au centre de la table.

Une larme roula sur sa joue. Son père lui manquait douloureusement. Elle avait le sentiment que son enfance s'était achevée le jour de sa mort. Désormais, elle suivait des leçons de parachutisme. Un jeune Américain la réveillait à l'aube pour lui souhaiter un bon anniversaire. Elle n'était pas à proprement parler malheureuse, mais elle avait connu en un an tant de bouleversements qu'elle se demandait ce que lui réservait l'avenir. Serait-elle seulement encore en vie pour célébrer ses quinze ans ?

— Qu'est-ce qui te chagrine ? demanda PT en la prenant dans ses bras.

Elle lui adressa un tendre sourire.

— Rien, rien. Je suis contente.

En consultant l'horloge murale, ils constatèrent qu'il ne leur restait plus que quelques minutes d'intimité. Rosie décida de réveiller son petit frère, dont le lit se trouvait à l'entrée de la chambre de Takada.

Elle passa devant le lit de Luc, qui ronflait sur le ventre, les fesses à l'air et le visage enfoui sous son oreiller. Son épaule était zébrée d'égratignures, son bras recouvert d'un bandage sanglant. La veille, en dépit de la relative gravité de la morsure, Rosie avait pleuré de rire en apprenant sa mésaventure.

— Joyeux anniversaire, dit Paul en serrant sa sœur dans ses bras. Mais... tu as pleuré ? Pourquoi ?

— Je ne sais pas trop. Merci pour le dessin. Tu es le meilleur des frères.

Le petit garçon sourit de toutes ses dents.

∴

En l'absence de Takada et de ses recrues, Keïta et Farès avaient pris en main l'instruction des six agents du groupe B. Farès était un individu filiforme affligé d'une tenace toux du fumeur. En raison de cette faiblesse, il était chargé de la maintenance de l'équipement, des activités liées aux armes à feu et de l'initiation aux opérations de sabotage. Keïta, lui, s'occupait des exercices sportifs et de l'entraînement au combat. Malgré son physique impressionnant, il se montrait plus conciliant et plus compréhensif que Takada.

Tristan suivait le programme depuis cinq semaines. La plupart de ses camarades de groupe lui étaient supérieurs sur le plan musculaire, mais sa vitesse et sa vivacité d'esprit lui permettaient de compenser ce handicap. Ce jour-là, aux alentours de midi, il se tenait accroupi derrière une pierre tombale du cimetière, à une cinquantaine de mètres de l'école. Transi, sale et hors d'haleine, il observait sa proie en silence.

Samuel, le petit frère de Joël, ignorait qu'on l'espionnait. Un fanion dans chaque main, il se déplaçait prudemment parmi les arbres. Âgé de dix ans, il était le benjamin du groupe B. Il devait fournir deux fois plus d'efforts que ses camarades pour venir à bout des épreuves exigées par les instructeurs.

Les règles du jeu étaient simples. Réparties en deux groupes, les six recrues devaient s'emparer de treize fanions dissimulés dans le village et la campagne environnante. La première unité parvenant à collecter sept drapeaux et à les déposer dans la cour de l'école remporterait la partie.

Il était permis de dresser des embuscades, de tendre des pièges, d'attaquer l'adversaire — les coups au visage et au bas-ventre restant formellement prohibés — et d'employer les tactiques les plus sournoises.

Tristan, qui éprouvait de la sympathie pour Samuel, n'était pas très fier du tour qu'il s'apprêtait à lui jouer.

Mais il était déterminé à remporter l'exercice. En outre, il avait fait équipe avec sa victime lors d'exercices comparables, et il le savait capable des pires coups tordus.

Alerté par un son insolite, Samuel tourna la tête et vit Tristan surgir de derrière une tombe portant l'inscription *Lydia June Carter 1845-1899*.

Il lâcha un juron puis, sans briser son élan, se précipita tête baissée vers l'assaillant.

Sidéré, Tristan reçut le coup de plein fouet. Profitant de l'effet de surprise, Samuel le souleva du sol et le plaqua brutalement contre la pierre tombale. Puis, conscient qu'il avait trois ans de moins que son adversaire et qu'il ne ferait pas le poids au corps à corps, il tourna les talons et détala dans le cimetière envahi par la végétation, les fanions serrés contre son torse.

Il posa le pied dans une flaque boueuse et souilla son pantalon jusqu'aux genoux. Il bondit au-dessus d'une tombe fendue en deux, jeta un bref coup d'œil par-dessus son épaule et constata que Tristan, qui s'était lancé à ses trousses, gagnait rapidement du terrain.

Samuel poussa la grille du cimetière puis la referma violemment derrière lui, mais son poursuivant la rouvrit d'un coup de botte.

Il ne lui restait plus qu'à traverser la route et à lancer les fanions dans la cour de l'école. Hélas, Tristan, dans un dernier effort, lui infligea un plaquage digne d'un joueur de rugby.

—Je te tiens ! s'exclama-t-il triomphalement.

Samuel heurta violemment la chaussée. Son épais pantalon de combat protégea ses genoux, mais le gravier déchira la paume de ses mains.

Tristan s'empara de la hampe de l'un des fanions, mais Samuel, solidement agrippé au tissu, était déterminé à ne pas lâcher prise. Il savait qu'il ne pourrait pas résister très longtemps, mais cette stratégie lui permettait de gagner du temps.

— Je me suis fait attraper ! hurla-t-il. J'ai deux fanions ! Venez m'aider !

Tristan plaça une main sur sa bouche. Les équipes avaient été composées dans un souci d'équilibre. Samuel étant le plus faible du groupe, ses deux complices avaient forcément été choisis parmi les recrues les plus redoutables du groupe B.

— La ferme, ordonna en vain Tristan.

Le petit garçon s'époumona de plus belle. Réalisant qu'il n'avait aucune chance de récupérer les fanions d'une seule main, son adversaire lui porta deux coups de poing dans les reins.

Samuel émit un gémissement sourd. Tristan éprouvait un vif sentiment de culpabilité. D'un côté, il souhaitait ardemment la victoire de son équipe. De l'autre, il se refusait à faire un usage disproportionné de la force contre un enfant de trois ans son cadet.

Profitant de cet instant de flottement, Samuel saisit, au bord de la route, une pierre aux angles saillants et frappa à l'aveuglette. L'arme improvisée pénétra les chairs de Tristant, tout près du nombril, sa chemise ayant glissé jusqu'à mi-côtes durant l'échauffourée.

Assommé par la douleur, il sentit disparaître en lui tout sentiment de compassion. Il immobilisa le bras de Samuel et lui donna quatre coups de poing entre les omoplates.

— Si tu ne lâches pas ces fanions, gronda-t-il, je vais *vraiment* être obligé de te faire mal.

De grosses larmes roulaient sur les joues écarlates de Samuel, mais il refusa d'obtempérer.

— J'ai besoin d'aide ! hurla-t-il avec des accents désespérés.

— Ne sois pas stupide, tenta de le raisonner Tristan. Donne-moi les fanions. Je n'ai aucune envie de te faire souffrir, mais tu ne me laisses pas le choix.

Au moment où il levait le poing, il vit un garçon courir dans sa direction.

Yves, quatorze ans, était la dernière recrue du groupe B. Compte tenu de sa stature et de sa musculature imposante, Tristan ne donnait pas cher de ses chances en combat singulier. Il se releva d'un bond.

— Cours, espèce de lâche ! lança Samuel sur un ton provocateur.

Tenaillé par la douleur qui irradiait dans son ventre ensanglanté, Tristan se laissa emporter par la colère. Il ressentait un désir ardent de porter un coup de pied au visage de son adversaire. Un tel acte eut constitué une violation flagrante des règles de l'exercice, mais il pourrait prétendre qu'il s'agissait d'un accident et s'en tirer avec un simple avertissement. Il considéra le visage de Samuel et sentit sa rage s'envoler. Malgré le succès que son courage lui avait permis de remporter, l'enfant semblait terrorisé.

Dès que Tristan eut plongé dans les buissons qui bordaient la chaussée, Yves s'agenouilla au chevet du petit garçon.

— Donne-moi les fanions, ordonna-t-il.

Samuel s'exécuta de mauvaise grâce, car si l'épreuve se disputait par équipes, il regrettait de ne pouvoir jeter lui-même les drapeaux dans la cour, comme un footballeur marquant le but de la victoire.

Après avoir progressé de quelques mètres dans la végétation, Tristan s'immobilisa pour observer discrètement la scène depuis un épais fourré.

Samuel s'assit puis, ignorant qu'on l'observait, s'autorisa à lâcher quelques sanglots en examinant ses paumes ensanglantées.

Tristan admirait son courage et la pugnacité avec laquelle il avait défendu les fanions.

Quatre-vingt-dix minutes s'étaient écoulées depuis le début de l'exercice lorsqu'un coup de gong résonna dans la cour de l'école pour annoncer que l'une des équipes avait réuni sept drapeaux.

— Tu es un vrai dur à cuire ! s'exclama Tristan en jaillissant de sa cachette.

Samuel tressaillit puis tenta vainement d'essuyer ses larmes.

— Oh, c'est moi qui t'ai fait ça ? demanda-t-il, l'air soucieux, lorsqu'il remarqua la tache de sang sur la chemise de Tristan.

— Avec les coups que je t'ai fichus, je pense qu'on est quittes.

Les deux recrues se dirigèrent vers l'école d'un pas traînant.

— J'aurais préféré m'attaquer à un adversaire de mon âge, ajouta Tristan. C'était trop déséquilibré.

— C'est vrai, confirma Samuel. Mais les instructeurs savent ce qu'ils font. Ils nous préparent pour des missions dans le monde réel, et le monde réel est souvent injuste.

Ils avaient enchaîné les épreuves sportives depuis leur réveil, cinq heures plus tôt. L'excitation provoquée par le jeu des fanions s'étant dissipée, ils se sentaient vidés de toute énergie, et parvenaient à peine à mettre un pied devant l'autre.

Ils retrouvèrent leurs camarades dans la cour.

— À la douche, tout le monde ! ordonna Farès, posté dans l'encadrement de la porte de service. L'exercice a pris un peu plus de temps que prévu, alors je vous conseille de vous dépêcher si vous voulez manger chaud.

Yves adressa à Samuel un sourire chaleureux.

— Tu t'en es tiré comme un chef ! Sept à trois, tu te rends compte ? On les a battus à plate couture.

Le petit garçon lui lança un regard noir.

— Oui, c'est formidable, vraiment, grogna-t-il.

Stupéfait, Yves haussa les sourcils.

— Quelque chose te chiffonne ?

Samuel leva les yeux au ciel, entra dans le bâtiment et commença à délacer ses bottes incrustées de boue.

— Tout le monde t'aime bien, Yves, expliqua Tristan, mais tu ne réfléchis pas plus loin que le bout de ton nez. Il aurait mieux valu que tu aides Samuel à porter les fanions *lui-même* jusqu'à l'objectif.

— Oh ! s'étrangla Yves avant de courir se confondre en excuses auprès de son jeune coéquipier.

McAfferty franchit la porte de son bureau et vint à la rencontre de Tristan.

— Je sais que tu dois être un peu fatigué, mais pourrais-tu aller à la ferme pour nourrir les araignées ?

Le garçon considéra ses bottes dégoûtantes et ses vêtements tachés de sang.

— Il faut *absolument* que je prenne une douche ! Regardez dans quel état je me suis mis !

— Enlève tes chaussures et tes chaussettes avant d'entrer dans la maison, insista la surintendante, visiblement nerveuse. Les araignées doivent prendre leur repas à heure fixe, et je ne supporte plus les reproches de Mrs Henderson. Elle a passé la matinée à se plaindre des détonations provenant du champ d'artillerie. Qu'est-ce que je peux bien y faire, moi ? Je ne vais pas leur demander d'interrompre leur entraînement sous prétexte que *Madame* a la migraine !

Tristan était épuisé, mais il esquissa un sourire, par respect pour McAfferty.

— Très bien, vous pouvez compter sur moi. Même si je me demande toujours pourquoi Mrs Henderson ne s'occupe pas elle-même de ses petits protégés. Elle passe ses journées à se tourner les pouces.

— Tu es gentil. Ne traîne pas, sinon tu vas manquer le déjeuner.

Tristan quitta le bâtiment et se dirigea vers la ferme, la tête basse. Il se remémorait le traitement qu'il avait infligé à Samuel, ainsi que le moment terrible où il avait failli lui porter un coup de pied en plein visage.

L'entraînement militaire qu'il suivait était-il en train de le transformer en une brute sans foi ni loi ? À bien y réfléchir, ses camarades ne cessaient de se glorifier d'actes de cruauté commis lors des séances d'entraînement au combat à mains nues. À l'inverse, manquait-il de ce goût pour la violence commun à tous les agents opérationnels ?

Il entra dans la véranda surchauffée qui abritait les araignées. Il était fasciné par ces créatures, mais il n'avait accepté de remplacer Paul durant son séjour en Écosse que pour profiter de vingt minutes de solitude quotidienne.

Il ôta ses bottes et ses chaussettes, les déposa près de la porte vitrée, puis marcha jusqu'à la cuisine afin de se laver les mains. Il n'était pas question de laisser la moindre trace de doigts sur le cahier où Mrs Henderson exigeait que soit consignée l'heure des repas de ses chères mygales.

Soudain, il entendit des pas précipités dans l'escalier menant au premier étage.

— Tu me trompes, salaud ! hurla Joan. Je te déteste !

— Ma chérie, tu dramatises, répondit Charles Henderson. Tout ce que j'essaye de te faire comprendre, c'est que dans ton état, il serait préférable que tu passes quelques semaines loin d'ici, dans un endroit plus tranquille.

— Ah, je dramatise ? C'est vraiment ce que tu penses ?

— Mon amour, pose ça, je t'en prie.

— Je vais te montrer, moi, si je dramatise, espèce de sale ordure !

Alors, Tristan entendit un vase se briser contre le mur.

CHAPITRE DIX-NEUF

De lourds nuages gris s'étaient accumulés au-dessus de l'aérodrome de Braco Lodge. La bruine tourbillonnait dans les bourrasques de vent. Relié à un camion d'hélium liquide, le vieux ballon roulait d'un bord sur l'autre au centre de la piste de décollage.

Tout le personnel de la base, des WAAFs aux pilotes de Wellington, participait à l'opération complexe consistant à transformer la fine enveloppe argentée en un aérostat de trente mètres de long semblable à un gigantesque ballon de rugby maintenu au sol par une douzaine de cordes.

Assis sur leurs parachutes, les élèves observaient la manœuvre avec anxiété. Plusieurs mousquetons se brisèrent et un soldat se foula le poignet, mais ses collègues, à force d'opiniâtreté, parvinrent à fixer sous le ventre du ballon une cage pouvant accueillir sept personnes.

Enfin, cette dernière fut reliée à un treuil hydraulique placé à l'écart de la piste. Le vent avait forci, et on entendait le grondement lointain du tonnerre. Parris et le commandant de la base se retirèrent pour s'entretenir en privé, laissant craindre un report de l'exercice au lendemain.

Lorsque le sergent leur annonça que tout se déroulerait comme prévu, les aspirants parachutistes lâchèrent des exclamations enthousiastes.

Les Norvégiennes furent invitées à prendre place à bord de la nacelle. Le sergent poussa le verrou intérieur, puis adressa un signe au superviseur des opérations au sol. Ce dernier porta un mégaphone à sa bouche et ordonna à ses subordonnés de relâcher les filins. Aussitôt, le ballon entama son ascension. Ses occupants n'entendaient plus que le martèlement discret de la pluie sur l'enveloppe de l'aérostat.

L'opérateur du treuil immobilisa l'engin à deux cents mètres d'altitude. Chahutée par le vent, la cabine tanguait comme un navire perdu dans la tempête.

Lorsque le personnel qui avait participé à la mise en place du dispositif eut évacué la zone de saut, l'officier donna le feu vert. Takada et les membres du groupe A virent la première Norvégienne se jeter dans le vide.

La sangle d'ouverture reliée à la nacelle se tendit, puis la voile se déploya sous un tonnerre d'applaudissements. Le vent fit dériver le parachute selon un angle imprévu, mais la gravité finit par faire son œuvre.

La jeune femme rassembla son équipement avant d'évacuer la zone de réception. Le caporal Tweed, posté près de Takada et de ses protégés, commenta chaque saut. Le vol de la dernière Norvégienne fut contrarié par une soudaine bourrasque qui la projeta violemment sur le dos au moment où elle s'apprêtait à effectuer le roulé-boulé réglementaire.

— Au tour des Polaks ! ordonna l'officier. Enfin... du Polak, si je compte bien.

Les stagiaires partirent d'un rire nerveux. Ils avaient passé un bref examen écrit récapitulant les principes qui leur avaient été enseignés. Les Norvégiennes et les enfants s'en étaient tirés haut la main, mais quatre Polonais et trois Français avaient échoué en raison de leurs faiblesses en anglais. Ils avaient été condamnés à suivre de nouvelles leçons, à repasser le test et à effectuer un saut nocturne. Ceux qui échoueraient de nouveau à l'épreuve théorique seraient définitivement éliminés.

— Il me faut quatre Mioches, ajouta le militaire.

Tweed désigna Paul, Marc, Rosie et Luc. Ils montèrent dans la cage dès que Parris en eut ouvert la porte, puis le ballon s'éleva de nouveau.

Compte tenu des conditions météorologiques, l'ascension fut plus mouvementée que l'excursion de la veille à bord du Wellington. Le vent s'engouffrait en hurlant entre les grilles latérales de la cage. À ses pieds, entre les planches disjointes, Paul pouvait observer la zone de saut. Un éclair déchira le ciel.

— Nom de Dieu, qu'est-ce que c'est haut, lâcha-t-il en se tournant vers Rosie.

Frère et sœur échangèrent un sourire anxieux.

Le ballon s'immobilisa, puis une secousse ébranla la cage. Les recrues comprirent alors qu'elles ne pouvaient plus faire demi-tour. Cette fois, c'était pour de vrai : dans quelques secondes, elles devraient se jeter dans le vide, à deux cents mètres du sol, sans filet de sécurité.

— Respectez les consignes, et tout se passera bien, assura le sergent Parris en ouvrant la porte de la cabine. Lieutenant Tomaszewski, à vous l'honneur. Rosie, Luc, Marc et Paul, alignez-vous derrière lui.

Comme lors d'une opération réelle, les meilleurs sauteurs avaient été désignés pour s'élancer les premiers, de façon à ce que les éléments les plus réticents ne ralentissent pas le déploiement. Paul était vexé d'avoir été placé en bout de file. De son point de vue, il avait fait jeu égal avec les autres stagiaires lors de l'entraînement, et Luc avait tout juste obtenu la moyenne à l'examen. Il estimait que seules sa maigreur et sa petite taille lui valaient cette position peu glorieuse.

L'officier polonais accrocha la sangle d'ouverture de son sac à une barre métallique placée au-dessus de la porte. Au sol, l'officier leva le pouce.

— Bonne chance, lieutenant, dit Parris. À mon signal... go !

Tomaszewski se jeta dans le vide. Trois secondes plus tard, la lanière se tendit puis se détacha, imprimant à la cabine une légère secousse, puis le parachute se déploya.

— À ton tour, Rosie.

Au même instant, le superviseur lâcha un cri angoissé.

— À droite ! À droite ! Tirez sur les élévateurs !

Les agents constatèrent que le lieutenant polonais dérivait vers la clôture qui ceinturait l'aérodrome.

Tomaszewski avait été frappé par un violent coup de vent dès l'ouverture de son parachute, et cet évènement imprévu l'avait entraîné à l'écart de la zone de saut. Pour couronner le tout, au lieu de corriger sa trajectoire en tirant simultanément sur les élévateurs pour accentuer l'angle de descente, il n'avait actionné qu'un seul des filins. En conséquence, il filait à vitesse grand V vers une zone rocailleuse située au-delà du périmètre de la base.

— Qu'est-ce qu'il fabrique ? demanda anxieusement Rosie.

Trois militaires coururent à toutes jambes vers le grillage en hurlant des instructions que le vent rendait parfaitement inintelligibles.

À une cinquantaine de mètres du sol, le Polonais réalisa qu'il était en danger et se décida enfin à tirer sur les suspentes. Aussitôt, il fila vers le sol et prit rapidement de la vitesse. Il effectua un atterrissage extrêmement brutal sur une portion gazonnée, cinq mètres à l'intérieur de la base.

— Merde ! lança Parris.

Au comble de l'anxiété, Rosie, postée devant la porte de la nacelle, dut patienter deux minutes avant que Tomaszewski ne boite hors de la zone de saut, soutenu par un instructeur. Enfin, le superviseur donna le feu vert.

— Tu es prête ? demanda Parris.

— Plus que jamais, monsieur, répondit Rosie en s'efforçant d'adopter un ton déterminé.

— Souviens-toi, si le vent te joue le même tour, corrige ta trajectoire immédiatement. Tomaszewski a eu de la chance de ne pas se briser les jambes en intervenant aussi près du sol. À mon signal… go !

Paul bloqua sa respiration puis lâcha un profond soupir de soulagement lorsqu'il vit se déplier le parachute de sa sœur.

— Luc, accroche-toi.

Le vent s'étant apaisé, Rosie effectua un atterrissage en douceur.

— Excellent, excellent, s'enthousiasma le superviseur dans le mégaphone avant de lever le pouce pour signaler que la voie était libre.

Luc, chahuté par une nouvelle bourrasque, fut contraint de se poser sur la piste de béton. En dépit de la violence de l'impact, il s'en sortit avec un gant déchiré et un choc brutal à son bras bandé.

Marc se mit en place. Un souvenir douloureux le hantait : il ne parvenait pas à chasser de son esprit l'image du parachutiste décapité découvert suspendu aux branches d'un arbre, cinq mois plus tôt. Saisi de nausée, il croisa les bras sur sa poitrine.

Garde ton calme et rappelle-toi ce que tu as appris, se dit-il.

— On a le feu vert, dit Parris. À mon signal… *go !*

Mais Marc resta figé sur place, incapable de détacher les yeux de la ligne d'horizon qui se balançait au rythme des oscillations de la cabine.

Paris, qui avait déjà vu bon nombre d'élèves perdre leurs moyens, s'exprima d'une voix apaisante.

— Respire à fond, fiston. Contente-toi d'appliquer les instructions. Comme c'est ton premier saut, je t'offre une seconde chance. Je vais compter jusqu'à trois, d'accord ?

Marc hocha lentement la tête.

— Ça n'a rien de sorcier, le rassura Paul. Il te suffit de faire un pas en avant.

— À mon signal. Un, deux, trois... *go* !

Marc posa une main de chaque côté de la porte et se plia en deux.

— Je ne peux pas, s'étrangla-t-il. Je ne comprends pas... je suis comme paralysé.

— En ce cas, mets-toi sur le côté, ordonna Paris en détachant le mousqueton qui retenait la sangle du garçon à la barre métallique. Paul, accroche-toi.

— Il ne pourrait pas faire un dernier essai ? supplia ce dernier. Je suis certain qu'il en est capable.

— *Accroche-toi*, répéta le sergent avec fermeté. Marc, assieds-toi au fond et essaye de te reprendre. Paul, à mon signal... *go* !

Le petit garçon marqua un instant d'hésitation. Le drame que vivait son camarade le bouleversait, et il craignait qu'en le voyant s'élancer, ce dernier ne se sente plus misérable encore. Mais il avait le devoir d'effectuer ce saut, pour lui comme pour le groupe. Il fit le vide dans son esprit et sauta hors de la cage. Le vent fouetta violemment son visage, puis il sentit une secousse lorsque la sangle d'ouverture automatique provoqua le déploiement du parachute.

À la fois terrifié et exalté, il sentit un formidable flot d'adrénaline déferler dans ses veines.

CHAPITRE VINGT

Plantée devant la porte d'entrée, Joan Henderson hurlait à pleins poumons.

— Je sais parfaitement que tu veux te débarrasser de moi, espèce d'enfoiré. Je te connais par cœur !

— Ma chérie, je te fais cette proposition parce que tu t'es plainte du bruit provenant du champ d'artillerie auprès de McAfferty. Dans ton état, tu ferais mieux d'aller te reposer à Bushy Brooke. Tu pourras te baigner dans la rivière, et le jardin est magnifique.

— Je ne peux pas abandonner les araignées, cracha Joan.

Tristan risqua un coup d'œil à l'extérieur de la cuisine pour s'assurer que la voie était libre, puis il emprunta le couloir menant jusqu'à la véranda.

— Le bien-être de notre enfant est plus important que celui de ces foutues bestioles, dit Henderson.

— Pauvre ignorant ! répliqua sa femme.

Tristan, posté dans le renfoncement d'une porte, vit cette dernière se jeter sur son mari pour lui griffer le visage.

— Ce ne sont pas des bestioles ! Ce sont des êtres rares et splendides. Chacune d'elles a sa propre personnalité. Elles ont une âme.

— Paul s'en occupe très bien, plaida Henderson. Je te garantis que tu peux quitter la base pendant quelques semaines sans t'inquiéter.

— Paul les *nourrit*. Mais il ne saura pas quoi faire si elles tombent malades. Il n'est pas assez qualifié pour modifier la température et l'humidité ambiante. Et il n'a pas le temps d'aller à la chasse aux insectes et aux mulots.

Henderson poussa un profond soupir.

— En ce cas, nous pourrions louer un cottage dans les environs. Ou même acheter une propriété. Ton héritage dort à la banque de Westminster. Tu pourrais même te payer un domestique à plein temps pour prendre soin de tes mygales.

De retour dans la véranda, Tristan s'empara du carnet où étaient consignés les repas et dévissa le couvercle d'un bocal contenant des scarabées que Joan avait capturés dans les champs. Ils y étaient enfermés depuis plus de vingt-quatre heures. La plupart étaient morts ou mal en point.

— Tout ce que tu veux, c'est que je débarrasse le plancher. Tu ne penses qu'à t'envoyer en l'air avec d'autres femmes, et je suis devenue gênante.

— Mon amour, ça devient *grotesque*. Je n'ai absolument pas le temps d'entretenir une relation avec qui que ce soit. Je n'ai même pas dix minutes pour souffler ou remplir une grille de mots croisés.

— Je sais que tu as couché avec toutes les Françaises que tu as rencontrées.

Tristan était profondément embarrassé. Marc avait évoqué en sa présence la relation amoureuse qu'Henderson avait eue avec une dénommée Maxine, lors de son séjour en France. Depuis, ce dernier jouissait d'une réputation de coureur de jupons invétéré.

— Ne recommence pas avec cette histoire, gronda Charles Henderson. Je suis prêt à jurer sur la Bible que je ne t'ai jamais trompée, Joan. Tout ça, c'est dans ta tête.

— C'est ça, prends-moi pour une idiote !

— Et que ferons-nous quand le bébé commencera à marcher ? Je ne veux pas que mon enfant vive dans une maison infestée d'araignées venimeuses.

— Tu cherches une excuse pour me faire disparaître de ta vie. Si tu touches à un seul de ces animaux, je te tranche la gorge pendant ton sommeil !

Tristan dispersa une poignée de scarabées dans une vitrine occupée par des araignées dont l'abdomen ressemblait à s'y méprendre au dos d'une coccinelle. Tandis qu'elles se précipitaient pour s'emparer de leurs proies et les emmener dans leurs cachettes, il se tourna vers le vivarium voisin.

Mavis, la mygale bleu cobalt, était réputée pour son agressivité. Comme la plupart des araignées de grande taille, elle ne se nourrissait que d'animaux vivants.

Lassée de chasser dans les champs, Joan avait entrepris d'élever des larves, des petits rongeurs et des criquets dans un cabanon situé au fond du jardin.

Tristan souleva le couvercle d'une boîte à cigares et en tira deux minuscules souris noires. Il les garda un instant dans la paume de sa main. N'était-il pas cruel de livrer à Mavis ces petites boules de poils aux yeux brillants, pour recevoir une morsure paralysante et être dévorées vivantes ?

Mais son estomac lui rappela par un grondement profond que son propre déjeuner était en train de refroidir. Aussitôt, il laissa choir les souris dans la vitrine et replaça le couvercle.

Le couple poursuivait désormais sa dispute dans la cuisine. Tristan se déplaça jusqu'au vivarium le plus vaste, qui abritait un couple d'énormes mygales de Leblond.

— Il faut que je retourne au travail ! hurla Henderson. Reste ici si tu le souhaites, mais cesse d'ennuyer McAfferty avec tes perpétuelles jérémiades. Une bonne fois pour toutes, ni elle ni moi ne pouvons faire cesser ces tirs d'artillerie.

— Je suis à bout de nerfs, sanglota Joan. J'ai un coup au cœur à chaque explosion.

— Eh bien, quitte cette maudite base, nom d'un chien ! Je te rappelle que nous sommes en guerre. L'armée doit intensifier son entraînement. Apparemment, tu es la seule à ne pas en avoir pris conscience.

Tristan contempla les carcasses à demi dévorées des souris. Dans la nature, elles auraient sans doute été nettoyées par un charognard, mais il n'était pas question de les laisser pourrir dans la vitrine. Il devait les récupérer à l'aide d'une paire de pinces.

Tandis qu'il cherchait l'instrument, la porte de la cuisine s'ouvrit à la volée.

— Fous-moi la paix, Joan. J'ai d'autres chats à fouetter.

— Salaud, salaud, salaud ! hurla Joan. Je te déteste !

Des bruits de lutte retentirent dans le couloir, puis un grognement sourd se fit entendre. Tristan craignait qu'Henderson ne soit en train de battre sa femme, mais ce dernier fit irruption dans la véranda, les mains plaquées sur son abdomen sanglant.

— Cette folle m'a poignardé ! gémit-il en titubant vers la porte donnant sur le jardin.

Joan entra à son tour, un long couteau de cuisine à la main. Tristan, épouvanté par la tache de sang aperçue sur la chemise d'Henderson, se jeta sur elle, lui tordit le poignet et la força à lâcher l'arme. Elle tenta de lui porter un coup de poing au visage, mais il la plaqua contre l'un des vivariums et pesa de tout son poids afin de l'immobiliser.

— Calmez-vous, supplia-t-il tandis qu'Henderson se traînait à l'extérieur.

Martin, qui jouait au football dans la cour avec un camarade, fut le premier à entendre ses appels à l'aide.

Une détonation d'artillerie résonna à l'instant où il déboulait en hurlant dans le hall de l'école.

Joan s'effondra sur les dalles de la véranda. Craignant d'essuyer une nouvelle attaque, Tristan ramassa le couteau sanglant, mais elle resta prostrée, pantelante, les yeux dans le vague.

— Tout ce que je demande, c'est que Charles m'aime... sanglota-t-elle.

En levant les yeux, Tristan vit Mavis s'échapper par la vitre brisée du vivarium.

∴

Marc, étendu sur son lit, contemplait fixement le plafond. Seul élève à avoir échoué, il avait l'impression que le monde s'était écroulé. Le largage depuis un avion était le seul moyen réaliste de rejoindre le continent. S'il était incapable de sauter en parachute, l'entraînement qu'il avait suivi jusqu'alors n'aurait servi à rien.

Il était quatre heures de l'après-midi. Takada s'entretenait avec le sergent Parris dans le baraquement réservé aux officiers de commandement. Joël, qui souffrait d'une brûlure causée par le frottement d'une suspente lorsqu'il avait essuyé un fort coup de vent à l'atterrissage, se trouvait à l'infirmerie. Rosie et PT étaient introuvables. Selon toute probabilité, ils avaient déniché un endroit tranquille afin de profiter d'un bref moment d'intimité.

— Tu as besoin de quelque chose ? demanda Paul.

C'était un bon camarade, mais rien ne semblait pouvoir chasser les idées noires de Marc. Ce dernier ne pensait qu'à l'échec essuyé au cours de l'exercice. Il éprouvait une profonde jalousie.

— Laisse-moi tranquille, grogna-t-il.

— Ce n'est sans doute pas aussi grave que tu le penses, dit Paul. Takada et Parris sont en train de discuter. Je suis certain qu'ils te laisseront tenter à nouveau ta chance avec les Polonais et les Français qui ont dû repasser l'examen.

Marc se redressa et lança un regard noir à son interlocuteur.

— Est-ce que je parle chinois ? *Laisse-moi tranquille.* C'est trop compliqué pour toi ? Et qu'est-ce qui te prouve que je serai capable de sauter, la prochaine fois ? Luc détourna les yeux de son roman de cow-boys et sourit.

— N'insiste pas, Paul. Si tu continues, tu vas finir par le faire pleurer.

Le petit garçon secoua la tête avec mépris.

— Quelqu'un t'a sonné, toi ?

— Je reconnais que tu as du cran, ricana Luc. Tu n'es qu'un petit con, mais je ne t'ai jamais vu battre en retraite. Par contre, la façon dont Marc a pissé dans son froc dans la cabine de saut est une honte pour toute l'unité.

— La ferme. Tu devrais déjà être content qu'on t'ait laissé sauter. Tu as frôlé l'élimination à un point près à l'écrit, et pourtant, ça n'avait rien de sorcier.

En des circonstances ordinaires, Marc se serait rangé aux côtés de Paul, mais il se sentait vidé de toute énergie et se moquait éperdument de la dispute qui opposait ses camarades.

— Oooh, comme c'est haut ! dit Luc d'une voix suraiguë, pâle imitation de celle de Marc. Je suis paralysé ! Je crois que ma vessie va lâcher !

— Tu es vraiment un connard, gronda Paul.

— Tu faisais moins le fier, dans les douches, quand tu étais prêt à me baiser les pieds plutôt que de te battre comme un homme.

— Tu as deux ans de plus que moi. Et je te rappelle que je t'ai vu pleurer comme une fillette, ligoté sur le carrelage. Tu as oublié ?

Son rival esquissa un sourire mauvais.

— Tes petits copains ne seront pas toujours là pour sauver ta misérable peau.

— La ferme ! hurla Marc avant de saisir le pot de chambre rangé sous son lit.

À la stupéfaction générale, il se précipita vers Luc et lui porta un coup violent à l'arrière de la tête.

— Tu te prends pour un dur ? Mais tu n'es qu'une brute sans cervelle !

Hélas, la réputation de Luc n'était pas usurpée. Il ceintura son adversaire, le renversa sur le lit et planta un genou dans sa poitrine.

— Prépare-toi à souffrir ! grogna-t-il avant de frapper Marc au plexus.

Paul jeta autour de lui un regard désespéré. Trop faible pour séparer les deux garçons, il envisagea de courir alerter Takada mais, estimant qu'il ne pouvait

199

abandonner son camarade dans une telle situation, il courut jusqu'à la table et s'empara d'un tabouret.

— Arrête ! cria-t-il en l'écrasant de toutes ses forces dans le dos de Luc.

Le coup eut moins d'effet qu'il ne l'avait escompté, mais Marc profita d'un bref instant de flottement pour se soustraire à son adversaire. Il saisit son poignet, localisa la plaie laissée la veille par les crocs du chien policier, y plongea les dents à son tour et serra les mâchoires de toutes ses forces.

Luc hurla de douleur. Le cœur au bord des lèvres, Marc sentit le sang de son ennemi couler dans sa bouche. Quelques instants plus tard, Joël, en entrant dans le baraquement, découvrit les trois garçons en train de s'écharper entre deux couchettes.

— Nom de Dieu, s'étrangla-t-il. On va finir par être expulsés de la base, si vous continuez vos bêtises.

Paul, convaincu que le nouveau venu était mieux armé que lui pour séparer les deux belligérants, recula d'un pas. Joël saisit la ceinture de Luc et le hissa d'autorité sur son lit.

— Assez ! ordonna-t-il.

Aveuglé par la haine, Marc se redressa d'un bond et se précipita vers l'adversaire. Paul s'interposa.

— Il n'en vaut pas la peine, dit-il.

Luc poussait des gémissements déchirants. Le menton de Marc dégoulinait de sang.

Joël se tourna vers Paul et s'exprima d'un ton ferme :

— Emmène Marc au bloc des sanitaires et assure-toi qu'il se lave le visage. Takada ne doit rien savoir.

La nuit était tombée, si bien que les rares soldats qu'ils croisèrent ne purent distinguer le visage ensanglanté du garçon. Secoué de sanglots, ce dernier ôta son T-shirt et se traîna jusqu'à un lavabo.

— Il ne faut plus céder aux provocations de Luc, dit Paul. Il peut tout faire rater, tu le sais. C'est un minable.

— Tous mes efforts n'ont servi à rien, pleurnicha Marc. Ma vie elle-même ne sert à rien.

Paul abaissa la bonde et tourna les deux robinets.

— Débarbouille-toi avant que quelqu'un ne te voie.

Marc s'aspergea le visage. Du coin de l'œil, Paul aperçut une silhouette à l'entrée de la salle d'eau. Il pivota sur les talons et se retrouva nez à nez avec Takada.

— Monsieur… bredouilla-t-il en cherchant vainement une excuse crédible.

Marc souleva la bonde et essuya le lavabo avant que l'instructeur ne remarque les traînées de sang.

— J'ai parlé au sergent Parris, annonça Takada. S'il t'offre une dernière chance, crois-tu que tu parviendras à sauter ?

— Je l'espère. Je ne comprends toujours pas ce qui m'est arrivé, quand je me suis retrouvé là-haut.

— Tu participeras à un nouvel exercice en compagnie des hommes qui ont réussi l'examen à la seconde tentative. Parris m'a informé qu'il restait une place dans la nacelle. Si tu le souhaites, l'un de tes camarades pourra t'accompagner.

— Je me porte volontaire, déclara Paul d'un ton joyeux.

— Il n'y aura pas de troisième chance, expliqua Takada.

Marc baissa la tête.

— Je n'échouerai pas, monsieur. Je ne peux tout simplement pas me le permettre.

CHAPITRE VINGT ET UN

Farès et Keïta eurent beau fouiller la maison et le jardin de fond en comble, Mavis restait introuvable. Les leçons de l'après-midi furent annulées et tous les membres du groupe furent réquisitionnés pour passer l'école et les bois environnants au peigne fin.

Les autres résidents se joignirent à la traque, non seulement parce qu'on le leur avait ordonné, mais aussi parce qu'ils craignaient de la trouver au matin embusquée dans une de leurs chaussures. Tristan, lui, s'inquiétait sincèrement pour Mavis. Au crépuscule, il poursuivit les recherches armé d'une lampe torche.

Il s'était enfoncé de deux cents mètres dans la forêt, derrière le cimetière, lorsqu'il aperçut un reflet bleuté dans le faisceau de sa lampe. Il crut un instant que son imagination lui jouait des tours, mais en s'approchant, il put distinguer clairement le corps velu de Mavis.

— Alors c'est ici que tu te cachais, dit-il.

Les recrues avaient reçu la consigne d'alerter un adulte s'ils découvraient l'animal, mais Tristan souhaitait éviter qu'un instructeur mal intentionné ne l'écrase d'un coup de talon.

Il s'attendait à devoir pourchasser l'animal, mais Mavis, toute tremblante, se nicha entre un rocher et un bouquet d'herbes folles. Les mygales bleu cobalt étaient originaires de régions de Thaïlande et de Malaisie où la température descendait rarement sous les trente degrés. Le froid était en train de la tuer.

— Tu es gelée, ma pauvre, murmura Tristan en déposant un sac de toile à ses pieds.

Il en sortit la boîte à cigares et une pelle. La lampe coincée sous l'aisselle, il aiguillonna doucement l'araignée de l'extrémité de l'outil.

— Allez, viens, ma toute belle…

Il approcha la boîte, plaça la pelle derrière l'abdomen, puis toucha l'animal avec d'infinies précautions. Il redoutait que Mavis ne panique, ne prenne la fuite, ou ne grimpe le long du manche pour planter ses crochets venimeux dans sa main. Contre toute attente, elle ne réagit pas au contact du métal, si bien que Tristan dut la pousser dans la boîte.

Au moment où il refermait le couvercle, la lampe glissa accidentellement au sol. À cet instant précis, Mavis, prise d'un soudain regain d'énergie, se mit à gratter furieusement les parois de sa prison de bois. Tristan sortit de sa poche un ruban élastique, l'enroula autour de la boîte, la glissa dans son sac, puis se dirigea vers la ferme.

À l'approche du bâtiment, il aperçut un éclair orange entre les arbres. Il crut tout d'abord qu'un obus s'était écrasé hors de la zone sécurité du champ d'artillerie, mais il n'avait entendu aucune détonation, et les exercices étaient généralement interrompus à la tombée de la nuit.

Il distingua les silhouettes d'Yves et de Samuel au fond du jardin. Il s'apprêtait à leur annoncer fièrement qu'il était parvenu à capturer Mavis, lorsqu'une forte odeur lui sauta aux narines. Un vivarium se consumait sur la pelouse. Keïta et un employé de la base franchirent la porte de la véranda, les bras chargés d'une autre vitrine.

— Mais qu'est-ce qu'ils fabriquent ? demanda Tristan, affolé, même si les intentions des deux militaires étaient parfaitement claires.

— Ordre d'Henderson, expliqua Samuel. J'avoue que je suis plutôt rassuré. L'idée de vivre à côté de ces tarentules m'a toujours flanqué la trouille.

Tristan se sentit submergé par une vague de désespoir.

— Mais ils n'ont pas le droit !

Keïta et le soldat placèrent le vivarium sur le gazon. L'instructeur souleva le couvercle, puis un troisième homme y vida un bidon d'essence. Tristan reconnut la vitrine des mygales de Leblond. Même s'il ne pouvait les apercevoir dans l'obscurité, il les imagina, tapies dans leurs nids, submergées par le liquide toxique.

— Reculez ! ordonna l'un des soldats avant de gratter une allumette et de la laisser tomber dans le vivarium.

À l'instant où la flamme entra en contact avec les vapeurs d'essence, un champignon bleuté se forma au-dessus de la cage de verre. Une vague de chaleur balaya le visage de Tristan. En quelques secondes, les vitres noircirent puis commencèrent à se fendiller.

Les témoins de la scène lâchèrent des exclamations enthousiastes.

— Au suivant ! s'exclama Yves.

Tristan parvenait à peine à contenir sa colère. Il s'efforçait de comprendre les raisons qui avaient abouti à ce drame. Il se tourna vers Samuel.

— Donc, je suppose qu'Henderson va mieux, puisqu'il a ordonné la destruction des araignées.

— Il est en vie, mais dans un sale état, et il ne veut plus entendre parler de sa femme. McAfferty le soutient, pour les mygales. Elle estime qu'elles sont trop dangereuses. C'est elle qui a fait appel aux soldats pour s'en débarrasser.

— Et Mrs Henderson, qu'est-ce qu'elle en dit ?

— Les MPs[6] l'ont embarquée à bord d'une camionnette, expliqua Samuel. Tout le monde pense qu'elle a perdu la tête. Ils l'ont sans doute enfermée dans une cellule capitonnée, à l'heure qu'il est.

— C'est un danger public, cette bonne femme, pouffa Yves.

6. Membres de la police militaire.

Le petit vivarium des mygales mexicaines fut à son tour déposé sur la pelouse. Elles avaient traversé une mauvaise passe, à l'époque où Tristan et Martin avaient rejoint la base, mais elles avaient guéri grâce à de subtiles modifications de leur régime alimentaire et l'adjonction d'un système de ventilation permettant de pulser de l'air chaud et sec dans leur repaire, afin de reproduire leurs conditions de vie naturelles.

Paul s'était occupé des araignées pendant six mois. Lui seul était parvenu à gagner la confiance de Mrs Henderson. Tristan savait qu'il serait bouleversé, à son retour de l'école de parachutisme, lorsqu'il apprendrait que toutes ses petites protégées avaient été liquidées.

Devait-il supplier McAfferty de faire cesser le carnage ? Seuls deux vivariums étaient encore intacts, mais le temps d'aller trouver la surintendante, le massacre serait achevé.

— Je rentre, dit-il. Je suis mort de froid.

— Je t'avais bien dit que tu n'avais aucune chance de retrouver Mavis dans le noir, dit Yves.

— Tu as raison, j'aurais dû t'écouter, Monsieur Je-sais-tout.

Un éclair illumina le ciel au moment où Tristan entra dans l'école. Il était épuisé. Lorsque Henderson avait été poignardé, il lui avait administré les premiers soins en attendant l'arrivée de l'ambulance, puis il avait répondu aux questions d'un enquêteur de la police militaire avant de partir à la recherche de Mavis. Il n'avait toujours pas eu le temps de se changer. Ses vêtements étaient souillés de boue et de sang.

La plupart des résidents ayant quitté le bâtiment pour assister à la destruction des araignées, Tristan trouva le dortoir du groupe B désert. Comme celui du groupe A, il était désormais divisé en chambrettes matérialisées par des couvertures et des rideaux suspendus au plafond.

Tristan s'accroupit au pied de son lit, sortit la boîte à cigares de son sac et en souleva légèrement le couvercle. Mavis glissa aussitôt deux pattes velues dans l'interstice.

— Tiens-toi tranquille ! chuchota Tristan.

Si l'un de ses camarades entrait dans le dortoir, il ne pourrait refermer le coffret sans blesser la mygale.

— Recule ! Recule !

Il frappa sèchement la tranche de la boîte sur le sol afin que l'animal tombe au fond, du côté des gonds, puis l'observa par les trous que Mrs Henderson avait percés pour laisser respirer les souris.

— Où est-ce que je vais bien pouvoir te cacher ?

. . .

Paul et Marc étaient adossés à la paroi grillagée. Quatre Français particulièrement massifs occupaient le centre de la cabine. Parris, lui, se tenait près de la porte. D'épais nuages masquaient la lune, et l'on apercevait à peine l'énorme ballon à hélium qui soulevait la cabine. En revanche, l'aérodrome était éclairé par d'imposants projecteurs antiaériens placés devant les hangars.

Paul ignorait la nature de la mission à laquelle se préparaient les Français, mais ils avaient à l'évidence été choisis sur le seul critère de la force physique. S'ils éprouvaient la moindre crainte à la perspective du saut qu'ils s'apprêtaient à effectuer, ils n'en laissaient rien paraître. Leurs plaisanteries teintées d'humour noir renforçaient l'anxiété de Marc.

— Ignore-les, dit Paul en considérant les mains de son camarade crispées sur le grillage.

— Sergent Parris, demanda l'un des Français, y a-t-il déjà eu des morts au cours de cet exercice ?

L'instructeur esquissa un sourire.

— Tout ce que je peux vous dire, c'est que personne n'est jamais remonté dans la nacelle pour se plaindre.

Les soldats éclatèrent de rire. Marc se pencha en avant et vomit un filet de bile.

— Essaye de ne pas y penser, dit Paul. Imagine quelque chose qui te ferait plaisir. Que tu dégustes une cuillerée de confiture, ou que tu confondes le lit de Luc avec les toilettes pendant son sommeil, par exemple.

Marc lâcha un bref éclat de rire.

— Beurk ! Tu es dégoûtant.

Paul faisait tout son possible pour détourner l'attention de son ami.

— ... ou imagine ma sœur toute nue. Je sais bien que tu es fou d'elle.

— C'est faux ! protesta Marc. Elle n'est pas mal, j'avoue, mais les filles préfèrent les garçons plus âgés, et puis de toute façon, elle est amoureuse de PT.

— Alors, c'est qui, la fille de tes rêves ? Une actrice de cinéma ? Une vedette de la chanson ?

Marc s'accorda quelques secondes de réflexion, mais Parris ouvrit la porte de la nacelle avant qu'il n'ait pu se prononcer.

— Souvenez-vous de ce que vous avez appris ! cria l'instructeur en jetant un œil au superviseur, deux cents mètres plus bas. On a le feu vert. Gaston, accrochez-vous. À mon signal… *go* !

— Je t'aime, maman ! lança le Français avant de sauter de la nacelle sous les applaudissements de ses camarades.

Lorsque le deuxième soldat se fut à son tour jeté dans le vide, les garçons purent quitter leur position et se déplacer à leur guise dans la nacelle. Marc semblait moins nerveux. La stratégie de Paul consistant à le bombarder de questions embarrassantes avait porté ses fruits.

— Tu sais pourquoi tu vas y arriver ? demanda ce dernier. Parce que Luc est en bas, et qu'il serait trop content que tu échoues.

— Je sais, répondit Marc sans desserrer les mâchoires. De toute façon, je ne vois plus les choses de la même façon que la dernière fois.

— Parfait. Si tu réussis, je te promets que je dirai un mot gentil te concernant à ma sœur.

Le dernier soldat se tordit la cheville à l'atterrissage. Une minute s'écoula avant que le blessé ne soit évacué et que le feu vert ne soit donné par le superviseur.

— Kilgour, accroche-toi, ordonna Parris. Comme te sens-tu, mon garçon ?

— Très bien, monsieur, répliqua nerveusement Marc en fixant le mousqueton de sa sangle d'ouverture automatique à la barre métallique. J'avais trop gambergé, l'autre fois.

— C'est bien, fiston, dit l'instructeur en lui adressant une tape amicale dans le dos.

Marc se posta au bord de la plate-forme. Il paraissait confiant, mais Paul, tendu comme un arc, redoutait que son camarade ne flanche au dernier moment.

— À mon signal… *go* !

Sans l'ombre d'une hésitation, Marc se laissa tomber dans le vide. Paul effectua des bonds incontrôlables et frappa frénétiquement dans ses mains. Au sol, PT, Joël et Rosie laissèrent éclater leur joie.

Marc effectua un atterrissage impeccable. En quelques secondes, il rassembla sa voile et courut vers ses amis. Rosie le serra chaleureusement dans ses bras.

— Paul, tu es le dernier, annonça Parris. Accroche-toi.

Rien n'obligeait Paul à effectuer un second saut mais, outre le plaisir que lui avait procuré sa première expérience, un profond sentiment de solidarité l'unissait à Marc.

— Un conseil, dit l'instructeur tandis que le petit garçon attendait de recevoir le feu vert. Souviens-toi de ce que tu as appris. La plupart des accidents surviennent au deuxième saut, parce que les gens prennent confiance et oublient d'appliquer les instructions. À mon signal… *go* !

Paul se jeta fièrement hors de la cabine. Depuis la formation de l'*Espionage Research Unit B*, Marc l'avait aidé à accomplir les épreuves les plus difficiles du programme d'entraînement. Il était heureux d'avoir pu lui rendre la pareille.

Il perçut un léger choc lorsque la sangle d'ouverture automatique se détacha de l'enveloppe du parachute. Cependant, il ne ressentit pas l'impression de freinage brutal éprouvée lors du premier saut. Alerté par les cris inintelligibles du superviseur, il leva les yeux.

En lieu et place de la coupole de soie, il découvrit un étroit triangle de tissu qui claquait au vent comme un étendard. Il vivait la situation la plus délicate à laquelle puisse être confronté un parachutiste : un petit pourcentage de voiles neuves ne s'ouvraient pas en raison d'une erreur de pliage commise dans les ateliers de fabrication. Paul n'avait commis aucun impair. Seule la malchance était responsable de son infortune.

— Tire sur les suspentes ! ordonna le superviseur.

Paul secoua les films qui reliaient le harnais au parachute. Le sol se rapprochait à vitesse grand V. Il était convaincu de n'avoir plus que quelques secondes à vivre quand, soudain, le battement furieux de la toile s'interrompit.

Par miracle, l'air s'était engouffré dans l'enveloppe de soie, et le parachute était en train de se déployer. L'angle de descente s'atténua légèrement, mais Paul ne se trouvait plus qu'à soixante-dix mètres du sol, et il semblait désormais impossible d'effectuer un atterrissage en douceur.

Lorsqu'il rencontra le sol gelé, ses deux jambes fléchirent brusquement et ses genoux vinrent percuter son visage. Son nez éclata et un flot de sang inonda son menton. Enfin, la voile l'enveloppa lentement, puis il perdit connaissance.

— Paul ! hurla Rosie avant de se précipiter vers son petit frère, PT sur les talons.

Deux instructeurs débarrassèrent Paul de son harnais puis l'étendirent sur une civière.

— Apportez-moi ce parachute, ordonna le commandant de la base. Tâchez d'identifier l'employée qui l'a plié et saisissez tout le matériel dont elle s'est occupée.

— Il est mort ? bredouilla Rosie.

Deux de ses collègues soulevèrent le brancard puis le transportèrent jusqu'à l'ambulance stationnée sur l'une des pistes de décollage.

— Ne t'inquiète pas, la rassura Tweed. Il n'a rien qui ne puisse être réparé à l'hôpital, mais je doute qu'il soit de nouveau sur pied pour participer aux prochaines épreuves.

CHAPITRE VINGT-DEUX

L'infirmière déposa un baiser sur la joue de Paul.

— Et tâche de te tenir tranquille, dit-elle avec un fort accent écossais. Si tu chahutes, nous n'arriverons jamais à remettre ce nez d'aplomb.

Paul hocha la tête. Il avait passé trois jours dans le dortoir des hommes d'un petit hôpital de province, mais n'avait recouvré ses esprits que vingt-quatre heures après son admission.

Il se leva et enchaîna quelques pas maladroits sur le carrelage. Il souffrait d'une double entorse aux chevilles et d'un traumatisme aux ligaments des genoux. Son nez était protégé par une attelle en carton maintenue par du ruban adhésif. L'opération visant à le redresser avait été couronnée de succès, mais ses sinus restaient obstrués par le sang séché et il était contraint de respirer par la bouche.

— Je vous ai fait un dessin, dit-il à l'infirmière en sortant de la poche arrière de son pantalon une feuille de papier pliée en quatre. Il n'est pas très réussi.

La jeune femme se reconnut aussitôt sur le portrait réalisé au crayon.

— Pas très réussi ? répéta-t-elle. Il est magnifique, tu veux dire. C'est très gentil. C'est la première fois que quelqu'un me dessine.

Sur ces mots, elle l'embrassa de nouveau. Paul rougit jusqu'à la racine des cheveux. Il salua les quatre patients qui occupaient le dortoir puis se dirigea vers la réception de l'hôpital. Il y trouva deux patients avachis dans des fauteuils, attendant d'être examinés. Takada, lui, était demeuré debout.

L'infirmière déposa la petite valise de Paul à ses pieds.

— Il vaut mieux que vous la portiez. Il est encore un peu faible.

— C'est entendu, confirma l'instructeur avant de se tourner vers son élève. Tu n'oublies rien, mon garçon ?

Deux jours durant, Paul avait regardé la neige tomber à la fenêtre, mais rien ne l'avait préparé au spectacle qui s'offrit à ses yeux sur le seuil de l'hôpital. Des congères de deux mètres s'étaient formées contre les murs. Les champs environnants et les toitures avaient disparu sous la poudreuse.

Une bourrasque glacée lui fouetta le visage. Il enfouit ses mains dans les poches de son duffle-coat gris puis marcha vers la Morris à la carrosserie rouillée que Takada avait empruntée au commandant de la base aérienne.

Paul s'installa sur le siège du passager avant. L'instructeur contourna le véhicule, se plaça devant la

215

calandre et fit tourner la manivelle. Après deux essais infructueux, le moteur accepta enfin de démarrer.

— Actionne le starter ! ordonna-t-il.

Lorsqu'il se fut assuré que tout était en ordre, il prit place derrière le volant.

— Comment se passe l'entraînement ? demanda Paul.

— Ça suit son cours, répondit Takada en lâchant le frein à main.

— Marc s'en sort bien ?

L'instructeur hocha la tête.

— Je suis content de lui. Hier, il a sauté deux fois depuis un Wellington, sans l'ombre d'une hésitation. En revanche, une Norvégienne s'est cassé la jambe.

— Je crois que je l'ai aperçue, lorsqu'ils l'ont conduite à l'hôpital.

Au moment où la vieille guimbarde franchit le portail de l'établissement, une explosion se fit entendre au niveau du pot d'échappement. Une volée d'oiseaux effrayés se dispersa dans le ciel gris. Takada s'engagea sur une route couverte de neige sale.

— La matinée est consacrée à l'entraînement au sol, annonça-t-il. J'en ai profité pour venir te chercher. Cet après-midi, nous effectuerons deux sauts. Si tout se passe bien, nous obtiendrons le brevet, et on nous remettra nos insignes.

— Je suis furieux d'avoir tout raté, dit Paul. Vous en avez appris davantage sur l'exercice final préparé par Walker ?

Takada ayant abordé un virage un peu trop rapidement, les roues arrière patinèrent, et le véhicule se déporta sur la voie opposée. En pilote expérimenté, il contre-braqua et enfonça légèrement la pédale d'accélérateur afin de rectifier sa trajectoire.

— Je crois que les quatre groupes y participeront, pourvu que ses membres se qualifient. Il paraît que Walker rejoindra bientôt la base.

— Vous participerez à l'épreuve ?

— Non. Juste les agents, sans leurs instructeurs.

— Des nouvelles d'Henderson ?

— Je me suis entretenu avec McAfferty au téléphone, hier soir. Il a été conduit dans un hôpital des environs de Londres. Il va subir une opération pour interrompre l'hémorragie.

— Et Joan ?

— Elle a quitté la ferme. La police l'a relâchée, mais elle a été internée dans un asile psychiatrique.

— Oh. J'espère que Tristan s'en sort correctement avec les araignées.

Takada secoua la tête.

— Elles ont été incinérées, dit-il, avant de se souvenir que la surintendante avait insisté pour annoncer en personne la nouvelle à Paul.

— Quoi ? s'écria le petit garçon d'une voix nasale.

— Je suis navré. Mais n'oublie pas que nous sommes en guerre. Il se passe des choses autrement plus graves et plus importantes.

Paul était à la fois bouleversé et furieux.

— C'est trop injuste, protesta-t-il. Elles n'ont jamais fait de mal à personne !

...

Paul ne tarda pas à constater que l'ambiance avait changé durant son absence. Il trouva les membres des quatre groupes en train de prendre le thé dans la salle de cours. Les règles interdisant la fraternisation entre unités avaient volé en éclats, et les aspirants parachutistes semblaient désormais entretenir les relations les plus amicales.

PT monopolisait l'attention. Assis au bureau des instructeurs, il divertissait les Français et les Polonais en démontrant son habileté au bonneteau à l'aide de trois tasses renversées et d'une balle de ping-pong. Pourtant, échaudés par les sommes qu'il leur avait soutirées la veille lors d'une mémorable partie de poker, les soldats refusèrent de parier le moindre penny.

— À mon tour, dit Paul en ôtant ses gants.

Folle de joie, Rosie courut à sa rencontre et le serra tendrement dans ses bras. Les membres des autres groupes lui adressèrent quelques mots de bienvenue. Seul Luc semblait indifférent à son retour.

— Pardonne-moi de ne pas t'avoir rendu visite, dit Rosie, mais nous sommes entraînés du matin au soir, et le commandant a interdit la circulation des véhicules après la tombée de la nuit, à cause de la neige.

— Ça ne fait rien, sourit Paul. De toute façon, je n'avais pas très envie de parler de l'accident. Alors, PT, on se la fait cette partie de bonneteau ?

Ce dernier glissa la balle dans sa poche et secoua la tête.

— Je ne joue pas avec toi, sourit-il. Tu connais déjà la combine.

Les soldats lancèrent des exclamations outragées. Un Polonais lui lança une craie au visage.

— Si je te revois avec un paquet de cartes, menaça un Français, je te le fais bouffer, sale petit tricheur.

— Il est impossible de tricher au poker, sourit PT. Je sais jouer, c'est tout, et vous n'êtes qu'un débutant.

Une Norvégienne servit une tasse de thé aux nouveaux venus.

— Sucre ? demanda-t-elle.

— Deux, répondit Paul.

En s'asseyant, il ne put retenir un gémissement de douleur. Marc prit place à ses côtés.

— Je me sens un peu coupable, avoua-t-il. C'est à cause de moi, si tu es blessé. Tu devrais être à ma place, à deux sauts du brevet.

— Il fallait bien que quelqu'un tombe sur ce parachute. J'en veux à la bonne femme qu'il a plié, pas à toi.

Marc hocha la tête.

— Ils ont inspecté le matériel dont elle était responsable et découvert deux autres voiles défectueuses.

Paul haussa les épaules.

— Je suis certain qu'elle ne l'a pas fait exprès.

Tous les élèves se mirent au garde-à-vous lorsque Parris fit irruption dans la pièce.

— Repos, ordonna le sergent avant de se diriger vers Paul. Alors, mon petit, comment te portes-tu ?

— Bien. J'ai un peu mal aux genoux, et le froid n'arrange rien à l'affaire, mais je n'ai pas trop à me plaindre.

— J'espère que tu reviendras nous voir pour achever l'entraînement, lorsque tu seras rétabli.

— Certainement, monsieur, si mes supérieurs m'y autorisent.

— J'aime cette attitude, dit le sergent avant de se planter devant le tableau noir et de s'adresser aux élèves. Comme vous le savez, demain, vous effectuerez deux sauts. Premièrement, un exercice standard avec un paquetage complet sanglé à vos jambes. Deuxièmement, une simulation de largage de nuit. Vous porterez une visière intégrale fumée et devrez vous réceptionner dans une zone de la taille d'un terrain de football en mettant en œuvre les techniques de contrôle de trajectoire que l'on vous a enseignées lors de l'entraînement d'hier. Vos instructeurs observeront votre saut depuis l'arrière du Wellington à l'aide de jumelles, puis noteront vos performances en fonction de quinze critères, de la pose du mousqueton à la vitesse d'éjection, en passant par l'atterrissage et la récupération de la voile. Pour décrocher votre brevet, vous devrez obtenir au moins vingt-quatre points sur l'ensemble des deux sauts. D'autres questions ?

Rosie leva la main.

— Ceux qui auront échoué auront-ils droit à une autre tentative ?

— Certainement pas. Si vous marquez moins de vingt-quatre points, vous devrez suivre une nouvelle session d'entraînement. À présent, ramassez votre équipement. L'avion décolle dans sept minutes, que vous soyez à bord ou non.

Paul dut prendre appui sur une table pour se relever. Les élèves saisirent leurs parachutes rangés sur une étagère près de la porte puis se ruèrent à l'extérieur du bâtiment. Seuls quatre des vingt-quatre candidats au brevet avaient dû quitter le programme : Paul, la Norvégienne qui s'était brisé la jambe, et deux Français qui s'étaient montrés incapables de réussir l'épreuve écrite.

— Que dirais-tu d'une petite balade en Wellington ? demanda Parris en se tournant vers Paul.

Le petit garçon secoua la tête.

— Merci, sergent, mais je ne me crois même pas capable de gravir l'échelle pour monter à bord.

— Tant pis, sourit le militaire avant de franchir la porte et de hurler à pleins poumons à l'adresse des élèves : bougez-vous, tas de feignants, avant que je ne vous colle mon quarante-cinq fillette au derrière !

∴

Paul assista au décollage du bombardier, puis il longea à pas prudents le sentier glacé qui menait au baraquement.

Il avait envie de dessiner, mais il avait utilisé sa maigre réserve de papier durant son séjour à l'hôpital. Gagné par l'ennui, il traîna près du lit de Luc en méditant des projets de sabotage, puis il jugea préférable de ne pas jeter d'huile sur le feu. Il se contenta de lui emprunter un roman de cow-boys intitulé *Desert Musk*, de Raider Grant.

Après quelques pages, il réalisa que ces histoires de vengeance et de duels le laissaient parfaitement indifférent. Il posa l'ouvrage, se tourna vers la fenêtre en soupirant et vit une berline Rover tirant une petite remorque s'immobiliser devant le baraquement réservé aux services administratifs. Le chauffeur en uniforme de la RAF descendit du véhicule et ouvrit la portière arrière. Le commandant de la base dévala les marches avec empressement pour accueillir le vice-maréchal Walker.

Depuis qu'il avait menacé de dissoudre l'unité B, Walker faisait figure de croquemitaine. Paul n'avait pas eu l'occasion de le rencontrer, mais il n'avait jamais entendu prononcer son nom qu'avec le plus grand mépris. Il découvrit un homme de taille moyenne, à la moustache rousse, vêtu d'un uniforme parfaitement ajusté.

Les deux hommes échangèrent une chaleureuse poignée de main puis lancèrent quelques plaisanteries. Ils semblaient en excellents termes. Paul ignorait combien de fois Walker avait supervisé la mystérieuse épreuve finale destinée à tester les capacités des futurs agents, mais, à l'évidence, il n'en était pas à sa première visite.

Tandis que le chauffeur et l'aide de camp du vice-maréchal portaient ses valises jusqu'aux quartiers des officiers, Paul repensa à une phrase prononcée par Henderson au cours de la formation initiale du groupe A : « Un agent n'en sait jamais trop. » Walker ignorait qu'il se trouvait dans le périmètre de la base. S'offrait à lui une chance inespérée de rassembler des informations concernant l'exercice final et de rensei-gner ses camarades.

Paul emprunta l'un des gilets de Luc, le passa sur son pull, puis quitta le baraquement. Redoutant d'être repéré, il contourna le bâtiment et dévala un dévers qui menait à la clôture de la base.

Sourd à la douleur que lui causaient ses chevilles blessées, Paul avança péniblement dans l'épaisse couche de neige, puis se glissa derrière la baraque des officiers. Il jeta un coup d'œil par la fenêtre et vit que les lieux étaient déserts.

Il suivit des traces de pneus fraîches dans la neige et constata que la remorque avait été traînée à la force des bras puis remisée près du baraquement P.

La bâche protégeant le chargement durant le trans-port avait été retirée. Sachant qu'il lui serait impos-sible de fuir s'il était découvert, il jugea préférable de localiser les officiers avant d'en examiner le contenu.

Tandis qu'il rampait vers la fenêtre latérale du bâti-ment, il entendit un homme lancer :

— Rajoutez du charbon, Jamieson. Il fait un froid de gueux, dans cette baraque.

Paul colla l'oreille contre le mur de planches.

— Toutes mes excuses, maréchal Walker, dit un homme à l'accent cockney.

Estimant que l'individu ne pouvait pas être un officier, il supposa qu'il s'agissait du chauffeur.

— Black, préparez mes cartes, ordonna Walker. Mais ne les affichez pas au mur. Je ne voudrais pas que ce fouineur d'Herbert colle son nez à la fenêtre. Jamieson, courez au hangar Brahms. Vérifiez les paramètres météo, puis informez les pilotes et les mécaniciens que le décollage aura lieu à trois heures du matin.

Paul risqua un bref coup d'œil à l'intérieur du baraquement.

— Avez-vous des exigences particulières, monsieur ? Nous pourrions peut-être sectionner les suspentes des parachutes du groupe Henderson.

Walker éclata de rire.

— Hélas, nous devrons agir de façon plus subtile. Que diraient les gens si tous ces bambins finissaient en bouillie ?

— Qui s'en étonnerait, monsieur ? plaisanta Jamieson. Ce ne sont que des enfants, incapables de mener une telle mission.

— Je ne donne pas cher de leurs chances, mais qui sait ? Le hasard pourrait être de leur côté. Nous devrons forcer un peu le destin, je le crains.

— Bien, monsieur.

Paul plongea derrière une congère lorsque Jamieson franchit la porte et se dirigea vers le hangar d'un pas martial.

Henderson avait maintes fois exprimé sa méfiance à l'égard de Walker, déploré qu'il ait été désigné pour superviser l'épreuve finale, et encouragé les recrues à se méfier de ses manœuvres. Preuve était faite que ses craintes étaient fondées, mais que Paul pouvait-il bien faire pour contrer ses machinations ?

CHAPITRE VINGT-TROIS

Lorsqu'elles eurent exécuté leur second saut, les recrues furent reconduites à la base à bord d'un camion militaire. La neige tombait à gros flocons et le soleil, à demi caché derrière les collines, jetait de longues ombres sur l'aérodrome. Deux instructeurs sautèrent de la cabine et coururent vers la salle de commandement. Les élèves mirent pied à terre puis confièrent leurs parachutes roulés en boule à deux auxiliaires féminines.

Ils étaient éreintés et frigorifiés. Rosie, qui avait effectué un atterrissage un peu brutal, boitait légèrement, mais aucune blessure grave n'était à déplorer. Ils se hâtèrent de rejoindre le dortoir et se rassemblèrent autour d'un radiateur électrique pour se réchauffer les mains.

— Oh, ça fait du bien, soupira Rosie en agitant ses doigts à quelques centimètres de la résistance rougeoyante.

Marc s'assit sur son lit et délaça ses bottes. Ses pieds et ses bas de pantalon étaient trempés, car il avait parcouru deux kilomètres dans une épaisse couche de neige pour rejoindre le camion depuis la zone de réception. Il ne put résister à l'envie de jeter l'une de ses chaussettes roulée en boule au visage de Paul, qui se tenait près de la fenêtre.

Le projectile s'écrasa contre le mur de planches.

— Raté, dit Paul sur un ton détaché.

Takada entra dans le baraquement et déposa sur la table un plateau garni d'une théière, de tasses et de soucoupes.

— Alors, comment ça s'est passé ? demanda Paul.

— On croise les doigts, répondit Joël, mais je pense qu'on s'en est bien sortis. Quand le Wellington a-t-il atterri ?

— Il y a vingt-cinq minutes, peut-être une demi-heure. Pourquoi ?

— On attend le verdict des examinateurs, crétin, expliqua Luc, en poussant Paul du coude pour s'emparer d'une tasse de thé.

— Ceux qui obtiendront moins de vingt-quatre points devront recommencer toute la semaine d'instruction, expliqua Marc. J'en ai perdu au moins deux en oubliant d'accrocher mon mousqueton au premier saut.

— Heureusement que tu t'en es aperçu avant de te jeter dans le vide, pouffa Joël.

— Nous recevrons les résultats dans moins d'une heure, annonça Takada, dont l'expression trahissait une anxiété inhabituelle.

En raison de son aspect physique, Takada n'avait aucune chance de participer à une mission en France occupée. Il avait suivi la semaine d'apprentissage afin d'œuvrer en toute connaissance de cause à la préparation des agents et, comme eux, il désirait ardemment obtenir l'insigne et le brevet parachutistes.

Paul avait renoncé à l'avertir du complot ourdi par le vice-maréchal Walker, car l'instructeur était extrêmement respectueux des règles et de la hiérarchie. Il était exclu qu'il se dresse contre un supérieur.

De même, craignant que ses révélations ne débouchent sur une longue et stérile discussion, il jugea préférable de ne pas informer ses camarades. Mais il avait besoin d'un complice, et PT était l'homme de la situation : un baratineur né, habitué par tradition familiale à mentir et à voler. Paul lui accorda quelques minutes, le temps de finir sa tasse de thé et de changer de vêtements, puis s'approcha innocemment de son lit.

— Il faut que je te parle, discrètement, dit-il.

— Ne me dis rien, sourit PT. Tu as mis l'une des infirmières de l'hôpital enceinte ?

— Sérieusement. J'ai surpris une conversation entre Walker et ses assistants. Vous allez être tirés du lit vers une heure et demie du matin pour assister à un briefing. Ensuite, vous monterez à bord d'un Wellington et vous serez largués dans un endroit inconnu.

— Dans quel but ?

— Ça, c'est la question à un million de dollars. Tout ce que je sais, c'est que Walker a l'intention de vous compliquer la tâche.

— Ce n'est pas vraiment une surprise. La vraie question, c'est *à quel point compte-t-il nous mettre des bâtons dans les roues ?*

— Je pense qu'il vous fera sauter plus loin de l'objectif que les autres équipes, hasarda Paul. Je ne vois pas ce qu'on pourrait faire pour l'en empêcher. Mais j'ai vu son chauffeur sortir des paquetages d'une remorque — un par participant à l'exercice — et Walker l'a chargé de s'assurer que nous recevrions ceux qui nous sont destinés.

— Ceux qu'il a sabotés, je suppose, dit PT.

— Je sais où se trouvent les paquetages, poursuivit Paul. Dans la salle de cours P, avec les parachutes. Tout est déjà prêt pour le briefing. J'ai même repéré le matériel qu'ils ont l'intention de nous refiler. La porte du baraquement est équipée d'une simple serrure, mais nous n'avons pas d'outils pour la crocheter.

PT hocha la tête.

— Et si nous forçons la porte, ils vont inévitablement se méfier. Walker pourrait même nous éliminer pour tricherie.

— On pourrait toujours plaider notre cause en lui faisant remarquer qu'on a fait preuve d'initiative. Finalement, c'est exactement le genre d'opération auquel nous prépare l'entraînement.

— Exact, confirma PT, mais vu que Walker nous déteste, il ne faut pas compter sur sa bienveillance.

— Alors il va falloir emprunter la clé, conclut Paul.

— Où se trouve-t-elle ?

— Je ne sais pas. J'ai observé la scène depuis une fenêtre latérale. Je n'ai pas vu qui a fermé la porte de devant.

Rosie, vêtue d'une chemise d'homme qui tombait jusqu'à ses genoux, vint à leur rencontre.

— Qu'est-ce que vous manigancez, tous les deux ?

Paul et PT redoutaient que Luc ne se mêle de leurs affaires. Ils s'assirent à l'extrémité de la table pour informer Rosie de la situation.

— Les femmes de ménage, dit-elle. Ce sont deux jeunes WAAFs qui occupent ce poste. On s'est parlé à deux ou trois reprises.

— Elles possèdent les clés des baraquements ? demanda Paul.

Rosie haussa les épaules.

— J'imagine que oui. Il faut bien qu'elles entrent pour faire leur boulot. Et si elles ne les ont pas, je suis prête à parier qu'elles savent où les trouver.

— Tu penses qu'elles accepteraient de te les confier ? interrogea PT.

— Probablement. Mais il faut que je la joue fine.

Paul, tu m'accompagnes.

— Et moi ? demanda PT.

— Vérifie que la salle de cours est inoccupée. Je te rejoins devant le baraquement.

Paul, qui connaissait le caractère autoritaire de Rosie, n'était pas surpris de la voir prendre le contrôle des opérations. Elle enfila à la hâte un pantalon et un pull, puis elle poussa son frère à l'extérieur du dortoir.

— Dépêche-toi, gronda-t-elle.

— Je ne peux pas aller plus vite, protesta Paul, que ses blessures contraignaient à adopter un train de sénateur.

Pour éviter d'éveiller les soupçons de leurs camarades, PT patienta quelques minutes avant de quitter le dortoir pour se diriger vers la salle de cours. Rosie frappa à la porte des WAAFs.

— Ne parle que si on te pose des questions, lança-t-elle à l'adresse de Paul avant de tourner la poignée.

Le ton de sa voix changea radicalement lorsqu'elle entra dans le baraquement.

— Bonjour tout le monde ! roucoula-t-elle. Oooooh, comme c'est *mignon*, ici ! Et quelle température agréable !

Le dortoir était semblable à celui qui avait été attribué aux recrues de l'*Espionage Research Unit B*, mais en tant que résidentes permanentes de la base, les auxiliaires possédaient une cheminée digne de ce nom et d'épais matelas à ressorts. Elles avaient punaisé des affiches de films aux cloisons et déniché des tapis pour recouvrir le plancher rugueux.

Sur les dix occupantes la baraque, seules trois étaient présentes. Parmi elles se trouvait Iris, la jeune femme avec laquelle Rosie souhaitait s'entretenir.

— Comment vas-tu ? demanda cette dernière, avec un accent du nord-est de l'Angleterre à peine intelligible.

Profondément embarrassé par la présence des auxiliaires, Paul demeura derrière sa sœur. Il se trouvait dans un monde exclusivement féminin. Des sous-vêtements étaient suspendus sur des fils à linge à proximité de la cheminée. L'air embaumait le talc, le parfum, le cuir humide et la sueur.

Rosie se dirigea vers le lit d'Iris.

— J'étais sûre de te trouver ici à cette heure, dit-elle à voix basse.

— Où est-ce que je pourrais bien traîner ? J'aimerais que la guerre soit finie, et je me fiche pas mal qu'on la gagne. Ça ne me dérangerait pas d'épouser un Allemand, si seulement je pouvais quitter cette cabane minable.

Paul était outré, mais Rosie semblait habituée à ces débordements verbaux.

— Je te présente mon frère Paul.

— Salut, petit gars ! s'exclama Iris. Au début, je t'avais pris pour son singe domestique.

Très satisfaite de sa blague, elle partit d'un rire suraigu. Paul ne la connaissait que depuis une minute, mais il la considérait déjà comme l'être le plus irritant de la création.

— Je suis heureuse de constater que tu vas mieux, poursuivit la jeune femme. Ta sœur était morte d'inquiétude, l'autre soir.

— Merci, dit Paul.

— Cet idiot a oublié son casque dans le baraquement P, mentit Rosie, et tu connais les instructeurs. Parris va lui infliger je ne sais quelle punition...

— Oh, il faut éviter ça à tout prix, gloussa Iris. N'est-ce pas, mon mignon ?

Ses doigts potelés se refermèrent sur les joues de Paul, puis elle lui secoua énergiquement la tête d'avant en arrière.

— Il est adorable, dit-elle. Poli et raffiné. Tout le contraire de mes frères. Ceux-là, ce ne sont ni plus ni moins que des animaux. Tu sais quoi, Rosie ? Lors de ma dernière permission, le plus jeune a pissé dans ma valise la veille de mon départ. Il ne perd rien pour attendre, celui-là. La prochaine fois que je retournerai à la maison, il aura de mes nouvelles, tu peux me faire confiance.

— Il mérite une bonne correction, confirma Rosie. Alors, pour les clés ?

— C'est cette fille, là-bas, qui garde le trousseau. Julia, tu peux les lui prêter ? Elle n'en a que pour quelques minutes.

À la vue de la belle Julia, Paul sentit son cœur s'emballer. Assise au coin de son lit, elle se faisait les ongles de pieds avec une telle grâce qu'elle semblait flotter au-dessus de la couverture. Elle adressa à Rosie un coup d'œil suspicieux puis jeta un trousseau de clés en direction d'Iris.

— Merci les filles, dit joyeusement Rosie avant de tirer Paul vers la sortie. Vous nous sauvez la vie. Je n'en ai que pour cinq minutes, dix grand maximum.

Les deux recrues prirent la direction du baraquement P.

— Brrr ! frissonna Paul. La voix de cette Iris est insupportable. Pire qu'une craie grinçant sur un tableau.

— Tu es injuste, gloussa Rosie. Je crois qu'elle t'adore, mon mignon.

— Beurk! Ses ongles sont tout rongés et elle empeste le tabac.

— C'est une horreur, en effet. J'étais dans la salle d'eau en sa compagnie, l'autre fois. Elle racontait à ses collègues qu'elle s'était disputée avec un officier et qu'elle lui avait renversé un cendrier sur la tête.

— Elle n'est vraiment pas très nette.

— *Alors je lui ai dit comme ça*, dit Rosie en imitant l'accent d'Iris, *soit vous me nommez responsable, soit je raconte à votre bonne femme que vous m'avez engrossée. Ça lui a rabattu son caquet, à ce gros prétentieux.*

— C'est pour son futur mari allemand que j'ai de la peine. Se donner tout ce mal pour gagner la guerre et finir avec cette folle…

Lorsqu'ils eurent atteint le baraquement, Rosie secoua le trousseau sous le nez de PT.

— Bien joué, dit ce dernier avant de poser un baiser sur sa joue. J'ai jeté un œil au mess des officiers. Walker sirote du whisky, et son chauffeur joue aux dés avec l'un des maîtres-chiens. Nous n'avons rien à craindre de leur côté.

— Parfait, répondit Paul.

— Rosie, tu fais le guet, ordonna PT en essayant de déchiffrer dans l'obscurité les étiquettes attachées aux clés. Si quelqu'un approche, donne trois coups contre la cloison et tâche de nous faire gagner du temps. Je t'autorise à flirter si nécessaire. Paul m'accompagne. Lui seul sait quels sacs nous ont été réservés.

Sur ces mots, il fit tourner la clé dans la serrure et s'engouffra dans le bâtiment, son complice sur les talons.

— Les cinq paquetages près de la porte, dit Paul.

PT tira les rideaux de black-out, puis il alluma la petite lampe fixée au-dessus du tableau noir.

Afin de conserver l'usage de leurs bras, les para-chutistes disposaient d'une sacoche tubulaire sanglée à leurs cuisses.

— Regarde-moi ça, dit Paul en inspectant le contenu de l'un des sacs destinés aux recrues de l'ERU. Boussole cassée, couteau émoussé, du sable et de l'huile partout.

PT ouvrit l'un des paquetages destinés aux Norvégiennes.

— Celui-là est impeccable, observa-t-il en le pen-chant vers son camarade. Matériel bien entretenu, plaquettes de chocolat, de quoi faire du feu, cartes plastifiées et lampe compacte.

— On pourrait montrer tout ça au commandant de la base et déposer une plainte officielle contre Walker.

— On n'a pas une chance, fit observer PT. Tu les as entendus dire que ces sacs nous étaient destinés, mais rien ne le démontre. Ce sera ta parole contre celle d'un vice-maréchal. Tout ce qu'on peut faire, c'est répartir l'équipement de façon plus équitable. Mais...

À cet instant précis, Rosie déboula dans la baraque.

— Un policier de la RAF, bredouilla-t-elle avant de fermer la porte derrière elle. Je crois qu'il nous a vus.

CHAPITRE VINGT-QUATRE

Paul et Rosie plongèrent sous les tables les plus proches des fenêtres. PT se précipita vers le tableau noir et éteignit la lumière. Accroupis dans l'obscurité, les trois complices écoutèrent l'horloge murale égrener vingt secondes.

— Il a peut-être passé son chemin, chuchota Paul.

Mais une clé tourna dans la serrure, et le policier entra dans la baraque. Paul était désespéré. Après l'incident dans lequel Luc avait été impliqué, le commandant de la base, qui semblait entretenir d'excellentes relations avec Walker, avait menacé de chasser toute l'équipe à la moindre récidive.

L'homme actionna l'interrupteur du plafonnier et jeta un regard circulaire à la salle de classe. Il s'accroupit près d'un paquetage et ôta la boucle qui en maintenait le rabat.

La perplexité de Paul se changea en terreur lorsque PT jaillit de sous le bureau des instructeurs.

— Bouh! cria-t-il en posant les mains sur les épaules du militaire.

Ce dernier pivota sur les talons. Paul reconnut Tomaszewski, l'un des membres de l'équipe polonaise. Sidéré, l'homme recula vers le mur.

— Qu'est-ce que tu fous ici? demanda-t-il d'une voix étranglée, tandis que Paul et Rosie quittaient leur cachette.

— La même chose que toi, j'imagine, répliqua PT. Cet uniforme te va comme un gant. Où est-ce que tu l'as déniché?

— J'ai graissé la patte d'une blanchisseuse, expliqua Tomaszewski. Alors, vous avez fait des découvertes intéressantes?

— Mmmh... Jusque-là, nous étions tous des aspirants parachutistes, et il fallait se serrer les coudes. Mais lors de l'exercice final, si ça se trouve, nous deviendrons rivaux.

PT et le Polonais échangèrent un sourire crispé. Rosie sortit du baraquement et reprit son poste de surveillance.

— Tout ce que je veux, ce sont les instructions, dit Tomaszewski. Avez-vous trouvé des documents rédigés dans ma langue?

Paul désigna l'angle opposé de la pièce.

— Il y a deux séries de quatre sacs, là-bas. L'une d'elle doit vous être destinée.

Tomaszewski traversa la salle de classe et ouvrit l'un des paquetages.

— Polonais ! annonça-t-il sur un ton triomphal en brandissant une carte plastifiée.

Paul et PT entreprirent de remplacer une partie de leur matériel défectueux par des effets trouvés dans les sacs des Français.

Satisfait de sa découverte, Tomaszewski aurait pu quitter le baraquement sur-le-champ, mais le comportement des deux garçons lui inspirait quelque inquiétude.

— Qu'est-ce que vous fabriquez avec ces sacs ? Vous n'avez pas touché aux nôtres, j'espère ?

— Le vice-maréchal Walker s'oppose à l'idée que des enfants puissent mener des missions d'infiltration, expliqua PT avant d'exhiber une boussole dont l'aiguille rouillée restait désespérément figée. Regarde un peu la camelote qu'il nous a refilée !

— Alors comme ça, vous êtes de futurs agents secrets ? sourit Tomaszewski.

Consterné d'avoir lâché une information confidentielle, PT répliqua sur un ton hargneux.

— Si on a appris à sauter en parachute, ce n'est pas pour retourner dans les jupons de nos mères.

Le Polonais s'accorda quelques secondes de réflexion, puis il contempla la boussole défectueuse.

— Bien sûr, personne ne se méfie des enfants, sourit-il. Je vois d'ici le rôle que vous pourriez jouer, au nez et à la barbe de l'ennemi. Vous ne méritez pas que Walker vous mette des bâtons dans les roues. Mais s'il vous plaît, laissez nos paquetages tranquilles.

Paul désigna les cinq sacs qu'il était en train de piller.

— On se contentera de ceux-là.

Tomaszewski hocha la tête.

— J'ignore encore en quoi consiste l'épreuve, mais je n'aimerais pas tomber sur ce matériel de pacotille.

— Tu t'inquiètes pour l'exercice final ? s'étonna PT. Qu'est-ce que tu dirais si tu étais à notre place ! Paul est blessé. Marc et Joël ne sont encore que des gamins. Quant à Rosie... eh bien, il ne t'aura pas échappé que c'est une fille.

Le Polonais rangea les documents dans sa vareuse puis serra chaleureusement la main de PT.

— Bonne chance à vous, dit-il.

— Bonne chance. Je ne sais pas ce que nous a mijoté Walker, mais je sens qu'on ne va pas s'ennuyer.

Rosie passa la tête dans l'encadrement de la porte.

— Arrêtez de discuter et grouillez-vous ! siffla-t-elle. J'ai promis à Iris que ça ne prendrait pas plus de dix minutes.

Lorsque Tomaszewski eut quitté le baraquement, Paul et PT achevèrent leur besogne. Redoutant une revue de paquetage de dernière minute, ils n'échangèrent pas la totalité du matériel. Ils placèrent plusieurs effets défectueux sur le dessus mais firent main basse sur deux boussoles neuves, des lampes torches en état de fonctionnement, des cartes imperméables ainsi que diverses pièces d'équipement susceptibles de faciliter l'exercice.

Enfin, ils sortirent de la baraque.

— On ne serait pas allés bien loin, avec le matériel pourri de ce cher Walker. Tu vas devoir rester à la base avec Takada, mais si on réussit l'épreuve, ce sera en grande partie grâce à toi.

Touché par le compliment, Paul se dirigea vers le dortoir le cœur gonflé de fierté. Rosie verrouilla la porte puis trottina vers le baraquement des WAAFs. Par chance, Iris était allée prendre l'air, et Julia ne cilla pas lorsqu'elle lui remit les clés.

— Vous avez jeté un œil aux paquetages ? demanda-t-elle d'une voix qui trahissait son appartenance à la haute société.

Rosie se figea.

— Les paquetages ? répéta-t-elle sur un ton innocent en dépit de son visage empourpré.

— Chaque fois que Walker arrive à la base, quelqu'un insiste pour visiter cette salle de cours, sourit Julia. En général, nous refusons, mais on dirait que tu as de la chance. Il y a quelques semaines, un Belge qui se prétendait comte de je ne sais où nous a proposé un chèque de deux cents livres.

Rosie éclata de rire.

— Vous avez accepté ?

— Nous l'avons informé que nous n'acceptions que les espèces. Cet endroit est à mourir d'ennui. Au fond, les manœuvres des élèves parachutistes pour obtenir les clés sont l'un de nos rares divertissements. Nous avons même fait faire un double, lors d'une sortie en ville, pour éviter tout problème, si jamais l'un d'eux oubliait de nous les restituer.

— Eh bien, merci, Julia, dit Rosie. Sache que tu nous as sauvé la mise.

Le soleil avait disparu à l'horizon pendant que les recrues effectuaient leur perquisition clandestine. Rosie enfonça les mains au fond des poches de son manteau puis se mit en route vers le dortoir. À l'approche du bâtiment, elle entendit les exclamations joyeuses de ses camarades. Soupçonnant que les notes venaient d'être annoncées, elle se mit à courir.

Polonais et Norvégiennes pourchassaient des Français hilares qui étaient montés sur le toit de leur baraque afin de jeter d'énormes blocs de glace dans la cheminée.

Lorsque Rosie atteignit le dortoir, la porte s'ouvrit à la volée. Ses cinq coéquipiers se précipitèrent à l'extérieur puis la bombardèrent de boules de neige. Aveuglée par les projectiles, elle trébucha contre le talus qui s'était formé au bord de l'allée et tomba sur les fesses dans une flaque d'eau glacée.

— Je vais vous massacrer ! hurla-t-elle en se redressant péniblement. Je viens de changer de pantalon. Je n'ai plus rien de sec à me mettre !

— Tu as obtenu vingt-six sur trente, annonça PT. Moi et Luc, vingt-huit, Marc, vingt-sept, Joël vingt-cinq. Mais le plus important, c'est qu'on a tous décroché le brevet parachutiste !

— Oh, c'est fantastique ! s'exclama Rosie, ivre de joie, en se pendant au cou de son ami. Et Takada ?

— Trente sur trente. À ce point-là, ce n'est plus de l'excellence, c'est de la frime, si tu veux mon avis.

Une boule de neige atteignit Rosie à la tempe. Elle lâcha PT, regarda autour d'elle et devina que Joël venait de la prendre pour cible. Le garçon tourna les talons et s'enfuit sans demander son reste.

— Tu peux toujours courir, sale petite vermine ! rugit-elle en se penchant en avant pour rassembler une poignée de neige. Tu n'échapperas pas à ma vengeance !

CHAPITRE VINGT-CINQ

— Dépêchez-vous, allez, allez, allez ! hurla Tweed, campé devant la porte du dortoir. Briefing en salle P dans cinq minutes. Habillez-vous en vitesse !

Il était une heure et demie du matin. Après avoir lacé ses bottes, Marc s'empara d'un couteau de chasse et d'un paquet de bonbons.

— Repose ça immédiatement, ordonna le caporal. Lors de cet exercice, vous n'emporterez que les vêtements que vous avez sur le dos et l'équipement qui vous sera remis à l'issue de la réunion.

Paul, sa couverture remontée jusqu'au menton, regarda ses camarades quitter la baraque. Un vent glacial soufflait par la porte ouverte. Malgré la déception qu'il éprouvait à l'idée de ne pouvoir participer à l'exercice final, il se félicitait de pouvoir achever sa nuit, bien au chaud, pendant que les autres membres de l'équipe, à n'en point douter, endureraient les pires épreuves.

— Bonne chance, dit-il à Rosie lorsqu'elle passa devant son lit.

Takada, vêtu d'un pyjama, surveillait les préparatifs depuis la porte de sa petite chambre individuelle.

— J'espère que vous êtes chaudement habillés, leur recommanda-t-il. Deux pulls l'un sur l'autre. Des gants fourrés. Si un vêtement vous encombre, vous aurez toujours la possibilité de vous en débarrasser. Mais si vous le laissez dans votre valise, vous risquez de mourir de froid !

Sensible à l'avertissement de son instructeur, Luc fit demi-tour afin de s'emparer d'un pull supplémentaire. Il s'adressa à Paul sur un ton inhabituellement amical.

— On m'a raconté ce que tu as fait, hier soir, je te remercie. Enfin, maigrelet comme tu es, il est sans doute préférable que tu ne viennes pas avec nous.

Comme toujours, le venin était dans la queue.

Paul haussa les épaules.

— Tâche au moins de ne pas te bagarrer avec les autres membres de l'équipe, soupira-t-il.

Luc fut le dernier à atteindre la porte. Tweed le poussa brutalement hors du dortoir.

— Quand je dis *dépêchez-vous*, tu te dépêches. Tu ne fais pas demi-tour vers ton lit pour enfiler un pull supplémentaire. Allez, magne-toi, espèce de limace !

Takada referma la porte de la baraque et se dirigea vers Paul en ramassant au passage les effets que les recrues, dans leur hâte, avaient abandonnés sur le sol.

— Ils ne reviendront pas ici, annonça-t-il en laissant tomber l'une des tennis de Luc dans sa valise. Nous ferons les bagages tout à l'heure. McAfferty enverra un camion pour nous ramener à l'école.

— J'espère qu'ils réussiront, dit Paul.

Takada s'assit sur le lit voisin.

— Si l'unité est démantelée, je retournerai en camp d'internement.

Surpris par cette confidence, Paul regretta de ne pas avoir informé son instructeur des manœuvres de Walker. Embarrassé, il se tourna vers la fenêtre.

— Au fond, j'avoue que je suis soulagé de ne pas participer à cette épreuve, avoua-t-il. Il gèle à pierre fendre, dehors…

..

Une vive tension régnait dans le baraquement P. Marc, Luc, PT, Joël et Rosie reçurent l'ordre de s'asseoir à côté de leurs paquetages, près de la porte. PT jeta un coup d'œil à l'une des sacoches et constata avec soulagement que les pièces d'équipement posées sur le dessus n'avaient pas changé de place. À l'évidence, la boussole des Français et les tablettes de chocolat fauchées aux Norvégiennes s'y trouvaient toujours.

Tous les élèves présents dans la salle de cours se mirent au garde-à-vous pour saluer l'arrivée du vice-maréchal Walker. Il déposa une liasse de notes sur le bureau. Son visage rubicond trahissait un état d'ivresse avancé.

— Asseyez-vous, ordonna-t-il en allant se planter devant le tableau noir, face à l'assistance. Je vous demande de m'écouter attentivement. Je ne me répéterai pas. Je ne répondrai à aucune question. Je me fiche que vous ayez des problèmes d'audition ou que vous éprouviez des difficultés à comprendre l'anglais. Vous avez tous suivi entre trois et six mois d'instruction dans diverses bases de Grande-Bretagne. À présent, vous allez devoir prouver votre valeur sur le terrain, dans des conditions réelles. Chaque équipe sera déposée en un point différent, au nord de l'Angleterre. Les Français sauteront les premiers, suivis de peu par les Norvégiens. Un quart d'heure plus tard, le Wellington attendra la seconde zone, où les enfants et les Polonais seront largués à quelques secondes d'intervalle. Jamieson ?

L'assistant de Walker exhiba la photographie grand format d'un canon monté sur un socle rotatif.

— Voici votre objectif : un canon antiaérien de calibre vingt millimètres. Ces armes défendent les installations militaires et industrielles du pays contre les bombardements à faible altitude. Vous disposerez de cartes indiquant trois sites sensibles où elles sont déployées. Votre mission : démonter l'un de ces canons de son socle, vous en emparer puis le déposer au guichet des objets trouvés situé près du quai numéro trois de la gare londonienne de King's Cross. Vous opérerez dans des conditions comparables à celles qui vous attendent derrière les lignes ennemies. À l'exception des personnes présentes dans cette salle et de quelques membres haut placés de la police, personne n'a été tenu informé de cette mission. Vous devrez pénétrer dans un complexe placé sous étroite surveillance. Si vous êtes repérés, soyez mesurés et tâchez de vous rendre avant d'essuyer les tirs des sentinelles. Vous êtes autorisés à ligoter et à neutraliser temporairement d'éventuels adversaires, mais n'employez aucune méthode susceptible de provoquer des dommages physiques irréversibles.

Walker marqua une brève pause afin de reprendre son souffle.

— Vous trouverez des schémas, des plans et des photographies dans les ordres de mission qui vous seront remis à l'issue de cette réunion et que je vous recommande vivement d'étudier à bord de l'avion. Vous porterez sur vous une enveloppe à remettre en cas de capture. Elle contient des explications relatives à vos actions et un ordre enjoignant son lecteur à adresser sur-le-champ un message au quartier général du SOE, à Baker Street. Cependant, ne vous faites pas trop d'illusions. Cette lettre suscitera la méfiance, on vous prendra pour des espions et vous serez sans doute malmenés avant d'être relâchés.

Le vice-maréchal posa les mains sur le bureau et annonça sur un ton solennel :

— Pour obtenir la qualification, vous devrez livrer votre canon au bureau des objets trouvés demain, avant minuit, ce qui vous laisse quarante-cinq heures. Ne perdez pas de vue qu'il s'agit d'un exercice collectif, et qu'il suffit qu'un seul membre d'une équipe remplisse l'objectif pour que tous ses partenaires obtiennent le statut d'agent opérationnel. Cette réunion est achevée. Il ne me reste plus qu'à vous souhaiter bonne chance.

CHAPITRE VINGT-SIX

Le Wellington volait à mille mètres d'altitude au-dessus du cœur industriel de l'Angleterre. Les aspirants espions étaient sur le point de participer à une véritable opération aéroportée. Jusqu'alors, ils n'étaient guère demeurés plus d'une dizaine de minutes à bord de l'avion avant de sauter, de se réceptionner dans un champ et d'être raccompagnés à la base en camion militaire.

Trois heures s'étaient écoulées depuis le décollage. Les cinq agents d'Henderson étaient rassemblés devant le dôme de verre de la tourelle arrière. Au loin, la guerre faisait rage : bâtiments en feu, rafales de balles traçantes lâchées par les canons antiaériens, chasseurs livrant bataille dans le ciel britannique… Entre les Mioches, les Pépées, les Polaks et les Grenouilles, l'heure n'était plus à la fraternisation. Chaque commando patientait dans son coin. Assis sur leur parachute, les agents regardaient avec anxiété la condensation se changer en givre sur les parois de la cabine.

Les recrues consultèrent les dossiers qui leur avaient été remis et jugèrent leur contenu décevant : sur la carte détaillant une zone de vingt-cinq kilomètres carrés, des points indiquaient l'emplacement des armes, mais ne fournissaient aucune information concernant le lieu précis du largage. Elles étudièrent plusieurs photographies de bâtiments et un schéma décrivant le démontage du canon antiaérien.

— Je me demande si les autres n'ont pas reçu des cartes plus précises ! hurla Rosie.

Les moteurs de l'appareil produisaient un tel vacarme que seuls Marc et PT, qui se tenaient directement à ses côtés, purent l'entendre.

— Il faut s'attendre au pire, approuva Marc. Carte moins détaillée, objectifs plus difficiles à localiser.

— Walker a saboté notre équipement, rappela Joël.

Je suppose qu'il a aussi trafiqué nos documents.

— Je suis sûr que nos lettres de reddition contiennent l'ordre de nous faire fusiller sans procès pour actes d'espionnage au profit de l'ennemi, sourit Marc.

Rosie prit une profonde inspiration puis bâilla à s'en décrocher la mâchoire. À cette altitude, l'oxygène se faisait rare dans la cabine non pressurisée. En outre, la journée passée n'avait pas été de tout repos, et les recrues avaient dormi moins de quatre heures.

Le cœur serré, ils virent les Grenouilles et les Pépées s'aligner le long du fuselage. À moins que leurs chemins ne se croisent au cours de l'exercice, ils ne les reverraient sans doute jamais.

En passant devant Rosie pour accrocher sa sangle d'ouverture au câble métallique qui courait le long du fuselage, une Norvégienne laissa tomber sur ses genoux une barrette où était coincé un minuscule rouleau de papier à cigarette.

Avant de le dérouler, Rosie s'assura qu'aucun instructeur ne l'observait. C'était un schéma sommaire tracé à l'encre d'une main maladroite. Elle réalisa aussitôt que les trois croix qui y figuraient étaient disposées à l'identique des points représentant les objectifs sur la carte jointe à l'ordre de mission. Puis elle remarqua une troisième croix surmontée de l'inscription ZS, pour zone de saut. Elle déchiffra les pattes de mouche griffonnées sous le plan.

Rosie,

Je ne suis pas près d'oublier cette bataille de boules de neige. Le jour où nous nous retrouverons, tu n'auras qu'à bien te tenir. L'une de mes collègues s'est liée d'amitié avec les pilotes du Wellington. J'espère que ce tuyau vous fera gagner du temps.

Affectueusement,

Gerhild

— Accrochez-vous ! ordonna le sergent Parris avant d'ouvrir la porte de l'avion pour le deuxième largage. Bonne chance à toutes et tous !

Rosie était sidérée. Elle n'avait échangé que quelques mots avec Gerhild, et ce n'est qu'en lisant son message qu'elle avait découvert son prénom. Pourtant, elle venait de lui communiquer une information capitale sans exiger la moindre contrepartie. Grâce à elle, l'équipe ne serait pas contrainte de faire leur point sur sa position, en plein black-out, dans un environnement inconnu privé de tout panneau indicateur.

— Qu'est-ce que c'est ? demanda Luc tandis que Parris ordonnait à la première Norvégienne de sauter.

— Peut-être une ruse, fit observer Marc après avoir pris connaissance du message. On la connaît à peine. Qu'est-ce qui prouve que ce n'est pas Walker qui l'a chargée de te remettre ce bout de papier afin de nous ralentir ?

Les Norvégiennes s'étaient toujours comportées amicalement vis-à-vis des membres de l'équipe, mais ils ne pouvaient pas écarter cette possibilité.

— Nous devrons prendre cette information avec des pincettes, dit Rosie. Mais s'il ne s'agit pas d'un coup fourré, nous gagnerons un temps précieux.

Luc affichait un sourire radieux.

— Quelle ironie ! s'exclama-t-il. Quand je pense que vous leur avez piqué leurs boussoles et leur chocolat...

Rosie était rongée de remords.

— Tout ça, c'est la faute de Walker, dit PT. Nous n'avions pas le choix.

Lorsque Français et Norvégiennes eurent quitté l'appareil, Parris verrouilla la porte puis l'avion prit de l'altitude dans un grondement de moteurs.

— Dix minutes ! lança le sergent à l'adresse des enfants, le visage éclairé d'un sourire inhabituel. Pas trop le trac ?

Les cinq recrues secouèrent la tête.

— Je n'étais pas très chaud pour vous faire suivre cet entraînement, mais je dois reconnaître que vous apprenez vite. Je suppose que nous ne nous reverrons jamais, alors je vous souhaite bonne chance pour les deux jours qui viennent, et pour tout ce que l'avenir vous réserve.

PT s'exprima au nom du groupe.

— Merci, monsieur.

Parris jeta un œil à sa montre.

— Huit minutes trente ! aboya-t-il de façon à se faire entendre par les quatre Polonais regroupés près du cockpit. Préparez-vous !

Ces derniers devaient sauter deux minutes après les agents d'Henderson. Chacun serra la jugulaire de son casque et les bretelles de son parachute, puis, conformément à la procédure, inspecta l'équipement de ses camarades.

Marc tira sur le harnais de Luc puis examina sa sangle d'ouverture automatique.

— Ton mousqueton !

— Merde ! s'étrangla Luc.

Le crochet cousu à l'extrémité de chaque sangle était équipé d'une partie mobile qui se refermait automatiquement autour du câble métallique au moyen d'une lame souple qui faisait office de ressort. Or, celle de Luc pivotait librement sur son axe.

— Sergent, sergent! hurla-t-il en se précipitant vers Parris. Qu'est-ce qu'on peut faire?

L'instructeur étudia le mousqueton et constata que le ressort était sorti de son emplacement.

— Caporal Kent!

Kent, le militaire efflanqué qui avait supervisé l'entraînement des Français, quitta son siège situé derrière le cockpit et se planta devant son supérieur.

— Mousqueton cassé, annonça Parris. Je vais essayer de le remplacer. Occupez-vous du largage, compris?

— À vos ordres, sergent, répondit Kent avant de se diriger vers la porte, l'air anxieux.

C'était un soldat expérimenté, mais il était trois heures du matin, il n'avait pas dormi davantage que les recrues, et cette soudaine responsabilité pesait lourdement sur ses épaules.

Parris s'agenouilla devant Luc. Les doigts engourdis par le froid et les mouvements de la cabine, il mit près d'une minute à détacher le mousqueton du crochet cousu à l'extrémité de la sangle.

— Je ne pourrais pas utiliser l'un des parachutes de secours? demanda Luc.

— Les parachutes à ouverture manuelle sont réservés à l'équipage. De plus, je n'ai pas vraiment le temps de t'expliquer leur fonctionnement, et je m'en voudrais s'il t'arrivait quelque chose.

254

— Trois minutes ! annonça Kent avant d'ouvrir la porte. Accrochez-vous.

Parris détacha le mousqueton de l'une des neuf sangles restées suspendues au câble métallique et réalisa qu'il était d'un modèle différent, légèrement trop large pour s'emboîter dans la boucle fixée à l'extrémité de la sangle de Luc.

— Et merde ! jura-t-il.

Les Polonais s'alignèrent derrière les enfants. Parris dénicha enfin un mousqueton conforme.

— Altitude six cents pieds, fenêtre de saut dans dix secondes, vent de nord-ouest à sept nœuds, annonça le copilote dans l'intercom.

Parris, dont les doigts s'étaient réchauffés, continuait à se bagarrer avec les attaches du mousqueton.

— Dépêchez-vous ! supplia Luc, fou d'inquiétude.

— Vous avez le feu vert, dit le copilote.

— Rosie, un pas en avant ! cria le caporal Kent. À mon signal… *go* !

Au moment où la jeune fille se jetait dans le vide, Parris laissa tomber le mousqueton sur le sol de la cabine.

— Bordel… lâcha-t-il.

— Pour l'amour de Dieu, grouillez-vous ! brailla Luc tandis que Marc s'élançait à son tour.

— Ferme-la et tiens-toi tranquille, ordonna le sergent, qui n'appréciait guère le ton employé par son élève.

PT et Joël sautèrent à quatre secondes d'intervalle. Les Polonais n'attendaient plus que le signal du caporal Kent.

— C'est bon ! s'exclama triomphalement Parris en glissant le mousqueton dans la main de Luc.

Ce dernier se précipita vers la porte et s'accrocha à la ligne métallique.

— Sergent, ça fait plus de vingt secondes que ses coéquipiers ont sauté, fit observer Kent. Il va se retrouver à un kilomètre du point prévu. Vous croyez que ça vaut vraiment le coup ?

— Fin de la fenêtre de saut dans dix secondes ! annonça le copilote. Demandons autorisation de nous diriger vers la quatrième zone de saut.

— Laissez-moi y aller, supplia Luc. Je trouverai un moyen de les rejoindre.

— Eh bien, vas-y ! hurla Parris. Qu'est-ce que tu attends ?

La procédure exigeait qu'il se positionne devant la porte puis attende le feu vert du caporal Kent, mais Luc s'éloignait de ses camarades à près de cent quatre-vingts kilomètres heure. Il fonça droit devant lui et se jeta dans le vide sans marquer le moindre temps d'arrêt.

CHAPITRE VINGT-SEPT

Marc venait à peine de toucher terre lorsqu'une bourrasque s'engouffra dans sa voile et le traîna sans ménagement dans les buissons. De longues épines percèrent le tissu épais de son pantalon et labourèrent l'une de ses cuisses. Le parachute se prit dans les branches d'un arbre, dispersant une averse de neige, se déchira puis l'enveloppa de la tête aux pieds.

Lorsque sa botte entra en contact avec un tronc d'arbre, il l'enserra fermement entre ses jambes de crainte d'être à nouveau traîné dans les épineux, puis entreprit d'ôter son harnais.

— Tu as besoin d'un coup de main ? demanda Joël.

Marc écarta un pan de la voile. En cette nuit de quasi pleine lune, on y voyait comme en plein jour. À en juger par son sourire, son ami se réjouissait ouvertement de sa mésaventure.

— À ton avis ? grogna Marc. Aide-moi à me relever.

Il se redressa péniblement puis lança un juron. Sa cuisse lacérée lui faisait un mal de chien, et ses vêtements étaient trempés, sans espoir de sécher en raison du froid mordant. En examinant les alentours, il découvrit qu'il avait échoué dans le seul taillis à cinquante mètres à la ronde.

PT et Rosie, qui avaient atterri à quelques mètres l'un de l'autre, les rejoignirent au pas de course, voiles roulées en boule entre les bras.

— Superbe atterrissage, ironisa la jeune fille.

Marc promena le faisceau de sa torche sur son pantalon et dénombra six énormes épines plantées dans sa cuisse.

— Tiens la lampe, je vais les retirer, dit Rosie.

PT dissimula les quatre parachutes sous un fourré afin d'éviter tout déploiement intempestif. Si leurs voiles étaient découvertes, l'alerte serait aussitôt donnée et des recherches entreprises.

— Aucun signe de Luc, fit observer Joël en jetant un regard circulaire à la prairie enneigée.

— Je n'ai pas vu son parachute, confirma PT. Je suppose que Parris n'a pas réussi à remplacer son mousqueton.

— C'est la seule bonne nouvelle de la journée, dit Marc.

Rosie saisit la pointe d'une épine entre ses ongles et la retira d'un coup sec, lui arrachant un gémissement de douleur.

— Luc est un crétin, soupira Joël, mais on aurait bien eu besoin de ses gros bras pour porter le canon.

Il sortit une carte plastifiée de sa sacoche, puis étudia le paysage environnant. Il repéra trois élévations et une route étroite.

— Qu'est-ce que ça donne ? demanda PT en s'accroupissant près de Joël.

— La Norvégienne ne nous a pas menti. Tu vois les trois collines, là-bas ? Leur disposition correspond à notre plan, et la route est exactement à...

— Aïïïe ! hurla Marc, avant de sauter à pieds joints en se tenant la cuisse.

Rosie avait gardé l'épine la plus longue pour la fin.

— Quelle petite nature ! s'esclaffa-t-elle.

— Faites moins de bruit, avertit PT. Il y a peut-être des civils dans les parages.

Les quatre agents se rassemblèrent autour de la carte de Joël.

— Trois cibles, expliqua ce dernier. Voici la plus proche, à environ trois kilomètres.

— On sait que Walker veut que nous échouions, objecta Rosie, l'air suspicieux. Nous devons choisir entre trois objectifs. L'un est situé à trois kilomètres de notre point d'atterrissage, les deux autres à respectivement dix et treize kilomètres.

— Tu penses que c'est un piège ? demanda Joël.

La jeune fille haussa les épaules.

— Je crois simplement qu'il vaut mieux éviter de faire ce que nous suggère le plan de Walker.

— Quelle différence peut-il y avoir entre les trois objectifs ? interrogea Marc.

— Les mesures de sécurité. Je suppose qu'une fabrique de bottes ou de tentes destinées à l'armée doit être moins bien gardée qu'une usine d'assemblage de chasseurs Spitfires.

— Rosie a raison pour Walker, dit PT. J'ai participé à plusieurs cambriolages, quand mon père était en vie. C'était un professionnel, un génie dans son genre. Pour lui, l'essentiel n'était pas de réaliser le casse, mais de quitter les lieux sans se faire attraper. À en croire cette carte, l'objectif le plus proche est au milieu de nulle part. Une seule voie d'accès, ce qui signifie qu'on devra quitter la route et marcher en pleine nature pour ne pas être capturés. Je suggère plutôt cette cible-là.

Il désigna l'objectif le plus éloigné de leur position.

— Treize bornes, si on coupe à travers champs, avec de la neige jusqu'aux genoux, gronda Joël. Sinon, je dirais dix-neuf à vingt kilomètres de marche.

— La cible se situe à proximité de Manchester, fit remarquer PT. La ville se trouve en dehors de la carte, mais les routes doivent être nombreuses, et moins sinueuses. Il sera plus facile de semer d'éventuels poursuivants.

— Oui, tu as raison, approuva Joël. On pourrait même voler des bicyclettes ou emprunter un taxi.

— On verra ce qu'on peut faire, conclut PT en consultant sa boussole afin de tracer une route au feutre sur la carte. Il nous faudra trouver des outils : coupe-boulons pour découper le grillage, clés anglaises pour démonter le canon...

260

— Ainsi que des vivres, ou de l'argent pour nous en procurer, ajouta Marc. Nous avons du chocolat et de l'eau, mais pas de quoi tenir toute la journée par cette température.

— On devrait se mettre en route, dit Rosie. Nous discuterons de ces détails en chemin.

∵

Le sergent Stacey était incapable de trouver le sommeil. Peu après quatre heures du matin, lassé de se retourner vainement dans son lit et d'essuyer les protestations de son épouse, il décida de se lever. Après avoir revêtu son uniforme, il prépara son déjeuner composé de sand-wichs au corned-beef et d'une Thermos de Viandox, enfourcha sa bicyclette et se mit en route vers le poste de police situé à onze kilomètres de son domicile.

Stacey avait atteint l'âge de la retraite, mais la plu-part des jeunes policiers du Lancashire avaient rejoint l'armée, si bien qu'il avait été contraint de prolonger sa carrière jusqu'à la fin du conflit.

Parvenu péniblement au sommet de la côte enneigée, il descendit en roue libre de l'autre côté de la colline, se laissant griser par la vitesse, comme au temps heu-reux de son enfance. En trente-six années de bons et loyaux services, il avait dévalé cette pente des milliers de fois. Aussi, en cette nuit de février, s'étonna-t-il de distinguer une immense forme blanchâtre en contrebas, pile sur sa trajectoire.

Des vagues ondulaient sous les rayons de la lune, occupant toute la largeur de la chaussée. Effrayé par cette vision fantomatique, Stacey serra les freins de toutes ses forces. La roue arrière de sa bicyclette chassa sur une plaque de glace, glissa sur le flanc et termina sa course dans un fossé peu profond envahi par les broussailles.

Le policier écarta le cadre du vélo, roula sur le dos, s'assit et ressentit une vive douleur à la hanche. En se tournant vers la route, il reconnut la forme caractéristique d'un parachute. Soulagé de ne pas se trouver en présence d'un spectre, il lâcha un soupir de soulagement.

Qui avait bien pu atterrir en un lieu aussi isolé ? Un soldat anglais blessé, incapable de rassembler sa voile ? Un pilote allemand abattu par la défense antiaérienne ? Un agent de renseignement du Reich ? Quoi qu'il en soit, Stacey devait demeurer sur ses gardes.

Une main sur sa matraque, il boitilla vers le parachute. Il redoutait de se trouver confronté à un ennemi lourdement armé, mais il était de son devoir de dégager la chaussée pour prévenir d'autres accidents. Il tira sur les suspentes, rassembla la toile au bord de la route puis s'agenouilla pour étudier le harnais à la lumière de sa lampe torche.

L'enveloppe du parachute portait une étiquette où figurait le nom des employées qui avaient procédé aux pliages successifs. Hester Marsh, Heather Baker, May Sandalwood et CP Doyle. Stacey était rassuré de n'y trouver que des patronymes anglais.

— Il y a quelqu'un ? cria-t-il. Je suis ici pour vous aider.

Ses appels restant sans réponse, il considéra les abords escarpés de la chaussée. Il n'avait vu personne en descendant de la colline, ce qui signifiait que le parachutiste avait forcément suivi la route en direction de la plaine. Si sa bicyclette n'était pas trop endommagée, il ne tarderait pas à le rattraper.

Alors, une planche de bois l'atteignit violemment à la tempe. Il enfouit son visage entre ses mains et tomba à genoux, mais son adversaire invisible porta une seconde attaque. Cette fois, ce dernier cogna si fort que son arme improvisée se brisa en deux.

Luc s'accroupit au chevet de sa victime, ramassa sa lampe et souleva l'une de ses paupières pour s'assurer qu'il était inconscient.

— Tu auras un peu mal au crâne à ton réveil, ricana-t-il avant de saisir le policier par les poignets et de le traîner vers le bas-côté.

Il sortit de sa poche quelques longueurs de suspente coupées à l'aide de son canif, roula Stacey sur le dos puis noua ses poignets et ses chevilles. Il trouva dans ses poches un portefeuille contenant quatre billets d'une livre, quelques pièces de monnaie et des tickets de rationnement. Enfin, il s'empara des menottes et de la matraque suspendues à sa ceinture.

— Et merci pour le vélo, dit Luc avant de cracher au visage du policier inconscient.

CHAPITRE VINGT-HUIT

Joël, Marc, Rosie et PT parcoururent deux kilomètres et demi dans les champs enneigés puis, estimant qu'ils s'étaient suffisamment éloignés de la zone de saut, ils rejoignirent la route.

Après six kilomètres de marche, ils atteignirent un village disposant de quelques commerces et d'un bureau de poste. Les garçons chipèrent des bouteilles de lait, fraîchement déposées par le livreur sur le seuil d'une porte, et burent à grands traits au goulot.

Rosie refusa le flacon que lui tendait Joël.

— Le lait me fait vomir, dit-elle, secouée d'un frisson de dégoût.

À la sortie du bourg, PT interpella un ouvrier agricole chaussé de bottes en caoutchouc et vêtu d'une salopette incrustée de boue.

— Excusez-moi. Nous sommes un peu perdus. Je me demandais si...

— Fichez-moi le camp ! répondit le jeune homme

qui s'exprimait avec un accent irlandais. Je ne vous donnerai pas un sou.

— Vous n'y êtes pas. Nous cherchons un bus qui pourrait nous emmener à Manchester.

Le paysan éclata de rire.

— Un bus, ici ? N'y pensez même pas. Maintenant, foutez-moi la paix, je vais finir par être en retard.

Sur ces mots, il se remit en route et bouscula Rosie au passage.

— Ce fut un plaisir de vous rencontrer, ironisa PT.

Il attendit quelques secondes avant de montrer à ses camarades le portefeuille de cuir craquelé qu'il venait de lui faucher. Il empestait l'eau-de-vie et la sueur.

— Qu'est-ce qu'il contient ? demanda Marc.

PT exhiba un billet de cinq livres et quatre billets de dix shillings.

— Pas mal, dit-il. Je pense qu'il vient de recevoir sa paye.

Rosie sourit.

— Nous n'avons plus à nous inquiéter pour la nourriture et les frais de transport. À présent, il faut trouver des outils.

— Et une paire de jumelles, si possible, pour reconnaître le terrain à distance, ajouta PT.

— Pour ça, ne te fais pas trop d'illusions, dit Marc. Mais j'ai travaillé dans une ferme, et je peux vous dire que tout propriétaire de tracteur possède une caisse à outils, pour effectuer les réglages et les réparations.

Après avoir étudié la carte, Luc acquit la conviction que ses camarades, soucieux de s'emparer du canon avant l'aube, avaient choisi l'objectif le plus proche de leur point d'atterrissage. Il roula trois kilomètres jusqu'à une route qui serpentait à flanc de colline. Le vent charriait des effluves de métal en fusion et de suie jaillis de trois énormes cheminées d'usine, au fond de la vallée.

Luc s'arrêta sur le bas-côté afin d'examiner les lieux. Au loin, une unique voie de chemin de fer contournait une élévation. Une gigantesque grue vidait les wagons de charbon alignés le long de la zone de déchargement. L'objectif figurant sur sa carte ne se trouvait pas dans le complexe principal, mais dans l'une des douze annexes réparties le long de la grand-route.

Chose étrange, Luc n'apercevait aucune habitation. Pour quelle raison l'usine avait-elle été bâtie en ce lieu reculé et difficilement accessible ? À l'évidence, on produisait des substances dangereuses, toxiques ou explosives, qu'il valait mieux tenir à l'écart des populations.

Soudain, le sol se mit à trembler, puis le faisceau d'un phare unique balaya la colline. Luc plongea à plat ventre au passage de trois semi-remorques. Le premier transportait des mines flottantes maintenues par d'épaisses chaînes. Les deux suivants étaient chargés de bombes semblables à des fûts de bière, destinées à la lutte contre les sous-marins.

Lorsque le convoi se fut éloigné, Luc se remit en selle. Cinquante mètres plus loin, il approcha d'une large porte métallique, sertie dans un cadre de béton, percée dans la colline. Un volontaire de la défense civile était assis sous une tente, fusil posé entre les jambes, manifestement frigorifié.

La route se divisa en quatre rues plus étroites qui traversaient le complexe de part en part. Luc longea une clôture couronnée de fil de fer barbelé. À la lumière de puissants projecteurs, des ouvriers s'affairaient autour d'une grue. On entendait distinctement leurs cris et le martèlement de leurs outils sur la tôle. Ils édifiaient un nouveau bâtiment sur le sol gelé.

— Eh, tu aurais un briquet, petit ? fit une voix.

Luc ralentit et regarda par-dessus son épaule. Un homme à la stature d'athlète, vêtu d'un caban et chaussé de bottes de chantier, se tenait derrière le grillage. Son visage crasseux dégoulinait de sueur, mais son regard était implorant.

Luc fit demi-tour. Il s'adressa à l'inconnu en s'efforçant de déguiser son accent français.

— Pardon, monsieur ?

— Un briquet, répéta l'ouvrier.

Luc ignorait le sens de ce mot, mais l'homme plaça une cigarette entre ses lèvres et agita frénétiquement le pouce. Il fouilla dans sa sacoche et sortit la boîte en fer-blanc contenant allumettes, bougies et étoupe.

— Ah, les miennes sont trempées, précisa l'homme. Il saisit la boîte que lui tendait Luc et alluma fébrilement sa cigarette.

— Tu m'as sauvé la vie, dit-il en aspirant une bouffée de tabac. Tu en veux une ?

— Non merci. Dites, vous vous mettez au travail drôlement tôt...

L'homme souffla la fumée par les narines.

— Les équipes se relaient vingt-quatre heures sur vingt-quatre, précisa l'ouvrier. Le bon côté des choses, c'est que je quitte mon poste à sept heures.

— Ça ne doit pas être un travail de tout repos.

— Éreintant, mais Churchill réclame des bombes, et je ne suis pas trop mal payé.

Luc posa un doigt sur sa carte.

— J'essaye de rejoindre cette route.

— On ne voit pas souvent de garçons de ton âge, dans les parages.

Comme tous les agents d'Henderson, Luc était habitué à improviser des explications crédibles afin d'apaiser les soupçons de ses interlocuteurs.

— Je dois retrouver mon oncle. J'ai un message important à lui remettre.

L'homme consulta le document à travers le grillage.

— Cette carte ne date pas d'hier, fiston. Deux nouvelles routes ont été construites l'année dernière. Celle que tu cherches se trouve à quatre cents mètres, à l'intérieur du complexe. La sécurité est assez stricte, dans le coin. Les gardes ne te laisseront pas entrer sur le site de construction. Tu devras attendre que ton oncle quitte son poste.

— Je comprends, dit Luc. Je vous remercie.

Il emprunta l'une des rues désertes bordées d'installations industrielles en tenant la bicyclette par le guidon. Le sel répandu sur la chaussée crissait sous la semelle de ses bottes. L'air saturé d'émanations toxiques lui brûlait la gorge et les yeux.

Il monta sur le trottoir pour laisser passer un second convoi, après quoi il tourna à droite, contourna une large flaque de boue, longea trois hangars strictement identiques puis atteignit l'objectif figurant sur sa carte.

Effrayé par l'ambiance sinistre de la ville-usine, Luc était impatient de retrouver ses coéquipiers. Sa cible était un entrepôt situé à la limite du complexe. À la lueur de la pleine lune, il repéra le canon antiaérien installé en haut d'une tour culminant à dix mètres au-dessus du bâtiment. Il occupait une position idéale pour mitrailler les bombardiers allemands qui plongeraient en piqué dans la vallée, mais il ne serait pas facile de le descendre de son perchoir.

Des sentinelles armées montaient la garde le long d'une clôture barbelée. L'équipe devrait se frayer un passage à l'intérieur du périmètre, grimper au sommet de la tour, détacher l'arme de son socle puis la porter jusqu'au toit de l'entrepôt. S'ils parvenaient à réaliser ce miracle, encore leur faudrait-il quitter le complexe par l'unique voie d'accès sans être capturés par les forces de l'ordre.

Luc s'inquiétait de ne pas trouver ses camarades. Avaient-ils déjà été arrêtés ou avaient-ils décidé de rebrousser chemin après avoir reconnu les lieux ?

Peut-être était-il le premier à avoir atteint l'objectif... Tout compte fait, à bien y réfléchir, ses coéquipiers n'avaient sans doute pas choisi cette cible. PT était un cambrioleur expérimenté. Dès son premier coup d'œil à la carte, il avait sûrement écarté cet ensemble industriel isolé et étroitement surveillé.

Que faire, désormais ? Avant tout, quitter les lieux. Si on le trouvait en train d'errer dans ces rues désolées en plein jour, il éveillerait inévitablement les soupçons. S'ils découvraient la matraque et les menottes dans sa sacoche, les soldats feraient immédiatement le rapprochement avec le policier retrouvé ligoté dans un fourré, à quelques kilomètres de là.

Au moins, il possédait une bicyclette. Si, comme c'était probable, ses camarades ne disposaient d'aucun moyen de locomotion, il pouvait encore, avec un peu de chance, refaire son retard et les rejoindre aux abords de l'un des deux autres objectifs.

CHAPITRE VINGT-NEUF

Les quatre agents avaient à peine dormi au cours des vingt dernières heures. Ils souffraient du froid et de la faim. Aux premières lueurs du jour, il se mit à pleuvoir.

Un lourd rondin de bois à la main, PT étudiait la double porte d'une vaste grange. Marc et Joël se tenaient à ses côtés. Rosie trottina dans leur direction, de la neige jusqu'aux chevilles.

— Personne à proximité, dit-elle en chassant les mèches qui retombaient sur son front. Mais il y a de la lumière à l'intérieur de la ferme, et j'ai vu deux hommes dans le champ situé de l'autre côté du bâtiment.

— Attention à ne pas faire trop de bruit, avertit Marc.

— Ah vraiment ? ironisa PT. J'allais suggérer qu'on pousse des cris déments et qu'on entonne des chants patriotiques.

Sur ces mots, il assena un puissant coup de rondin au centre de la porte. Les planches émirent un craquement, mais la serrure refusa de céder. Joël lui prêta main-forte lors de sa seconde tentative, et ils purent enfin pénétrer dans la grange.

Ils avaient repéré le tracteur en observant l'intérieur du bâtiment entre deux lattes disjointes. Comme ils l'espéraient, ils trouvèrent une caisse à outils rangée dans une haute armoire rustique. Le meuble ancien avait été reconverti en un établi de fortune équipé de tiroirs. Les clés et les pinces les plus imposantes étaient fixées au panneau arrière à l'aide de clous. Marc ramassa une musette de toile sur le sol de terre battue.

— Parfait, sourit PT. Ils sont en bon état.

Il avait l'habitude de prendre le commandement des exercices exigeant quelque talent de cambrioleur. Il se tourna vers Joël et Rosie, et lança :

— L'un de vous devrait monter la garde à l'extérieur. Mais les deux recrues n'avaient aucune envie de rester plantées sous la pluie, ne fût-ce que pour quelques minutes. Rosie rassembla ses cheveux longs et les essora ostensiblement.

— J'ai déjà effectué la reconnaissance, dit-elle à l'adresse de Joël.

— Tu insinues que je me suis tourné les pouces ? protesta ce dernier.

— Joël ! gronda PT. Bouge tes fesses et va faire le guet !

Marc collecta les outils nécessaires au démontage du canon, les enroula dans un morceau de tissu, puis les glissa à l'intérieur de la musette.

— C'est lourd, gémit-il. Il faudra qu'on se relaie.

272

— On a besoin d'un autre sac, dit PT. Rosie, jette un œil derrière le tracteur.

La jeune fille leva les yeux au ciel.

Il commence à me fatiguer, celui-là, à jouer les petits chefs, pensa Joël en s'approchant de la porte de la grange. Au dehors, la pluie tombait à verse sur le sol gelé.

— Il pleut comme vache qui pisse, protesta-t-il. On devrait rester à l'abri, le temps que ça se calme.

Rosie brandit deux sacs de toile. Elle les vida de leur contenu — quelques oignons pourris —, puis les remit à Marc afin qu'il y répartisse les outils. Dans les tiroirs, PT trouva des limes et des tenailles qu'il fourra dans sa musette.

— Il vaut mieux ne pas moisir sur les lieux de notre crime, dit-il en se dirigeant vers la sortie d'un pas décidé. On se mettra à l'abri dès que possible, mais pas ici.

Planté devant la porte, il prit conscience du déluge qui s'abattait sur la campagne environnante.

— La poisse.

La pluie grondait sur le toit de la grange. Elle débordait des gouttières, formant des fontaines qui jaillissaient aux quatre angles du bâtiment.

— On est prêts, annonça Marc en rejoignant ses coéquipiers devant la porte.

Un simple coup d'œil à l'extérieur lui suffit à prendre la mesure de la situation.

Soudain, un cri retentit au loin, à peine audible dans le vacarme causé par l'averse.

— Papa !

Rosie jeta un œil entre deux planches et aperçut une fillette aux cheveux roux qui portait un panier rempli d'œufs. Âgée de six ou sept ans, elle semblait dans tous ses états. Le vent chahutait sa robe à fleurs. Elle poursuivait vainement un chapeau à large bord emporté par la tourmente.

Instinctivement, Joël saisit le couvre-chef au vol au moment où la bourrasque le poussa près de la grange. Lorsqu'elle l'aperçut, la petite fille se figea, lâcha son panier puis, terrorisée, fondit en larmes.

— Eh, ne pleure pas, dit Marc en se dirigeant à pas lents dans sa direction. On ne va pas te faire de mal.

De son poste d'observation, Rosie vit deux hommes courir dans sa direction.

— J'arrive, Alice ! cria l'un d'eux. Papa est là. Pourquoi n'es-tu pas restée dans le poulailler, nom d'un chien ?

— Foutons le camp d'ici ! lança PT avant de jaillir de la grange, Marc et Joël sur ses talons.

Alice fit volte-face et s'élança vers son père, mais ce dernier avait eu le temps d'apercevoir les fuyards.

— Rentre à la maison, Alice. Va retrouver maman.

Luc et Joël prirent la fuite à travers champs, le fermier à leurs trousses. Le second individu s'engouffra dans la grange et tomba nez à nez avec Rosie avant qu'elle ne puisse se cacher derrière le tracteur.

C'était un garçon d'environ dix-sept ans, aux épaules larges et aux yeux bleu clair. Rosie supposa qu'il s'agissait du fils de l'agriculteur. Accrochée à ses jambes, Alice se tortillait nerveusement d'un pied sur l'autre.

— Qu'est-ce que ça veut dire ? grogna l'inconnu en découvrant l'armoire ouverte et les tiroirs béants. Il manque la moitié des outils !

Rosie fit semblant de sangloter.

— Ces garçons m'ont entraînée ici, expliqua-t-elle. Quelle chance que vous soyez intervenu ! Dieu sait ce qu'ils avaient l'intention de faire de moi…

Mais le jeune paysan n'était pas né de la dernière pluie. L'histoire de Rosie ne collait pas avec le vol des outils.

— Tu vas m'accompagner à la maison, et nous appellerons la police, dit-il sur un ton ferme avant de s'adresser à Alice. Lâche ma jambe, toi, et va retrouver maman, comme on te l'a ordonné.

Mais la fillette, terrorisée, n'avait aucune intention de quitter son grand frère. Rosie se baissa pour ramasser une vieille clé à molette que Marc avait écartée lors de la préparation des musettes.

— Repose ça immédiatement, menaça le garçon. Tu as beau être une fille, je n'hésiterai pas à te frapper, si nécessaire.

Sourde à cet avertissement, Rosie fondit sur son adversaire. Elle avait suivi des centaines d'heures d'entraînement. Le moment était venu de mettre en œuvre pour la première fois les techniques enseignées par Takada dans le préau.

Alice lâcha un cri perçant. Le premier assaut de Rosie se solda par un échec, et l'outil frôla le crâne du garçon. Ce dernier saisit son poignet et lui tordit les doigts vers l'arrière.

La douleur lui arracha une plainte déchirante. Constatant que son ennemi, tout à son attaque, se trouvait en position vulnérable, elle lui porta un puissant coup de pied à l'abdomen. Lorsque le jeune homme recula en titubant, elle lui infligea deux coups de pied à l'arrière du crâne.

Ayant retrouvé tout son sang-froid, elle réfléchit au meilleur moyen de mettre l'adversaire hors d'état de nuire, sans plus de nervosité que si elle se trouvait à l'exercice sur les tatamis de l'école. Alors, elle aperçut Alice qui tremblait de terreur, adossée au mur de planches, à la vue de son grand frère martyrisé.

Touchée par son regard implorant, Rosie décida d'épargner le garçon.

— Allonge-toi par terre et ne fais plus un geste, ou tu le regretteras, menaça-t-elle en brandissant la clé devant le visage de sa victime.

Sur ces mots, elle quitta la grange en courant et constata avec soulagement que l'averse avait cessé. Elle chercha vainement ses coéquipiers du regard, mais estima qu'ils étaient parvenus sans peine à se débarrasser du fermier.

Lorsqu'elle eut parcouru une dizaine de mètres, une monstrueuse détonation résonna dans son dos. Elle jeta un coup d'œil par-dessus son épaule et découvrit une femme armée d'un fusil de chasse. Des plombs criblèrent son postérieur, sifflèrent à ses oreilles, balayèrent le sol détrempé. Ignorant la douleur, elle courut se mettre à couvert dans un sous-bois, en bordure du champ. À son plus grand soulagement, ses camarades surgirent d'un taillis et volèrent à son secours.

— Tu peux courir? demanda PT. Il faut quitter les lieux au plus vite.

— Je vais avoir du mal à m'asseoir pendant quelques jours, gémit Rosie en promenant une main sur ses fesses, mais je crois que ça ira...

CHAPITRE TRENTE

L'orage éclata dès que Luc, pressé de quitter le complexe industriel, entama l'ascension de la côte. En quelques secondes, d'immenses flaques d'eau se formèrent sur la chaussée. Le rideau de pluie était si dense qu'on n'y voyait pas à dix mètres.

Il roula sur le bas-côté au passage d'un convoi. Les roues avant du premier camion soulevèrent un raz de marée qui le doucha de la tête aux pieds, projetant boue et grains de sel dans ses yeux. À l'approche du second véhicule, il leva un bras pour protéger son visage. Contraint de tenir le guidon d'une main, il effectua un léger écart vers le centre de la route. Le boyau arrière éclata au contact du pare-chocs du poids lourd, puis la bicyclette fut projetée dans les airs. Si elle n'était, par un bienheureux hasard, retombée du côté du talus, Luc aurait sans nul doute fini broyé sous les pneus du camion.

Il atterrit lourdement dans un buisson d'épineux. Le vélo poursuivit sa course sur quelques mètres, effectua une série de tonneaux, puis s'immobilisa sur le flanc.

Tremblant de tous ses membres, Luc s'assit et se tourna vers la route. Devait-il craindre ou souhaiter que le chauffeur qui l'avait renversé s'arrête pour lui porter secours ? Ce dernier, qui n'avait vu depuis sa cabine que d'immenses gerbes d'eau, ne donna même pas un coup de frein.

Le sel brouillait sa vision et le mettait au supplice. Les vêtements trempés et le visage maculé de boue, il resta immobile pendant quelques minutes, tâchant de retrouver la vue en clignant mécaniquement des yeux. Lorsqu'il fut capable de les garder ouverts pendant plus de deux secondes, il se releva, s'assura qu'aucun véhicule n'approchait, puis constata que sa bicyclette n'était plus qu'un squelette de métal tordu. Par chance, sa sacoche se trouvait toujours dans le panier fixé au guidon, et son matériel n'avait pas souffert de l'accident.

Il ouvrit la boîte contenant le déjeuner du policier. Il constata que la Thermos s'était brisée, et que les sandwiches étaient imbibés de Viandox.

— Des casse-croûte au verre pilé, grogna-t-il. *Bon appétit*[7].

La chaîne du vélo avait volé jusqu'au milieu de la route. Estimant qu'elle ferait une arme plus efficace que la matraque, il la ramassa et la glissa dans sa poche.

La situation semblait désespérée. Vidé de toute force, il se sentait incapable de parcourir à pied le kilomètre qui le séparait de la crête de la colline. Privé de sa

---

7. En français dans le texte (NdT).

bicyclette, il n'avait plus la moindre chance de retrouver ses coéquipiers. Affaibli et vulnérable, il ne lui restait plus qu'à se rendre aux autorités.

Mais à qui se livrer ? Il traversa la route, se dirigea vers le bâtiment industriel le plus proche, puis longea la clôture à la recherche du portail, en s'arrêtant régulièrement pour balancer la tête en arrière et laisser la pluie laver ses yeux rougis.

Ses pas le menèrent à un poste de sécurité équipé d'une barrière mobile à bandes blanches et rouges. Un soldat accablé d'ennui montait la garde dans une guérite de bois. Il n'était pas habitué à recevoir des visiteurs à pied. La présence d'un garçon de treize ans trempé jusqu'à l'os avait de quoi rendre soupçonneux.

— Qu'est-ce que tu fiches ici ? demanda-t-il en se penchant à l'extérieur de son abri.

Luc brandit sa lettre de reddition.

— J'ai un document à vous remettre, expliqua-t-il. Il faut que vous le présentiez à vos supérieurs pour que je puisse retourner à Londres.

— Qu'est-ce que tu me chantes là ? maugréa la sentinelle.

Le soldat portait une veste d'uniforme négligemment déboutonnée. Une cigarette était coincée derrière son oreille.

— Tu as fugué, c'est ça ? poursuivit-il. Il faut être complètement idiot pour atterrir dans un endroit comme celui-là.

— Tout est dans cette lettre, dit Luc. Lisez-la, je vous en prie.

Le soldat secoua la tête.

— Fous le camp immédiatement ! gronda-t-il en pointant l'index vers la route. Encore un mot et je t'en colle une, compris ?

Luc sentait sa patience s'émousser.

— Je ne demande qu'à rentrer chez moi, mais je suis complètement *perdu*.

L'homme renifla avec mépris.

— Tu crois que je vais sortir sous la pluie pour un morveux dans ton genre ? Tu es arrivé ici par tes propres moyens, que je sache. Tu n'as qu'à faire le chemin en sens inverse.

Luc envisagea froidement la possibilité d'adresser une bonne correction à son interlocuteur. Avec un peu de chance, il serait arrêté et reconduit au QG du SOE, mais il courait le risque d'essuyer un mauvais coup. Il tourna les talons et rejoignit piteusement la chaussée.

— Il y a une gare routière, un peu plus loin, sur la gauche, lança la sentinelle, prise de pitié. Le prochain changement d'équipe a lieu à sept heures. Tu pourras te présenter au poste de police du village ou prendre la correspondance pour Manchester.

La station de bus se trouvait devant la plus vaste usine du complexe, un bâtiment gigantesque dont l'enseigne avait été peinte en noir pour raisons de sécurité. Luc se réfugia sous le long abri au toit de tôle piqué de rouille et jeta un œil à la pendule : sept heures moins vingt.

Une douzaine de bus aux flancs ornés de l'inscription *Royal Manchester Armaments Corporation* étaient garés en épis sur une vaste aire de stationnement. Derrière les véhicules s'élevait un petit bâtiment abritant les sanitaires et la cantine réservés au personnel de la compagnie de transport.

Constatant que rien ne bougeait à l'intérieur, Luc poussa la double porte, s'engagea dans les toilettes et se réchauffa quelques minutes contre le radiateur. Il se déshabilla dans une cabine puis il essora ses vêtements. Il n'avait aucun moyen de les faire sécher, mais au moins, ainsi, ils ne seraient plus gorgés d'eau.

À l'aide d'une serviette, il s'essuya les cheveux et le visage. Il n'était pas d'une propreté impeccable, mais il n'avait plus rien de la créature des marais qui était entrée dans le bâtiment quelques minutes plus tôt.

Redoutant d'affronter à nouveau la pluie et le froid, il décida de visiter la cantine du personnel, quitte à en être chassé à coups de pied aux fesses. Il y trouva une serveuse au nez fort, vêtue d'une robe noire et d'un tablier galonné de dentelle.

— Eh bien, dans quel état tu t'es mis, mon garçon ! s'exclama-t-elle lorsqu'il se présenta au comptoir. Quelle pluie, mes aïeux... Mon pauvre enfant !

Elle lui servit une tasse de thé avant même qu'il n'ait pu prononcer un mot. Il glissa une main dans sa poche pour en sortir le portefeuille du policier, mais la femme lui adressa un sourire maternel.

— Ne sois pas idiot, dit-elle. Crois-tu vraiment que j'aurais le cœur de faire payer quelqu'un dans ta situation ?

D'ordinaire, Luc détestait le thé. Il avala trois longues gorgées et sentit le liquide réchauffer ses entrailles.

— Je n'appartiens pas à la compagnie de bus, avoua-t-il.

La serveuse partit d'un rire cristallin.

— Je ne suis pas aveugle, dit-elle. Tu es venu chercher ton papa à son travail, n'est-ce pas ?

Luc adopta cette excuse servie sur un plateau. Il alla s'asseoir à une table située près de la fenêtre.

— Il y a plein de bus, mais aucun chauffeur, fit-il observer.

— La cantine de l'usine propose de délicieux sandwiches au bacon. En théorie, ils sont réservés aux ouvriers, mais les employés de la compagnie ont trouvé une combine pour entrer. Aimerais-tu que je te fasse griller quelques tartines, mon ange ?

Luc hocha la tête. La femme posa trois épaisses tranches de pain de mie sur les plaques chauffantes.

— À quelle heure part le prochain bus ?

— Les équipes se relaient à sept heures, mais les ouvriers rejoignent la station dix minutes plus tard. Les bus partent dès qu'il n'y a plus de places disponibles.

— Parfait, dit Luc en avalant deux gorgées de thé. En attendant, je vais rester ici pour me réchauffer.

Un client avait abandonné le journal de la veille sur la table voisine. En se penchant pour s'en emparer, il jeta un œil par la fenêtre et aperçut quatre hommes qui marchaient entre les bus stationnés sur le parking. Aussitôt, il reconnut les longues jambes et la démarche caractéristique du lieutenant Tomaszewski.

La présence des Polonais était parfaitement explicable. Les équipes s'étaient vu attribuer des objectifs différents, mais le complexe, compte tenu du nombre d'usines et de hangars qui y étaient rassemblés, devait disposer d'un grand nombre de canons antiaériens.

Leur attitude démontrait qu'ils n'étaient pas parvenus à s'emparer de leur cible. Ils arboraient une mine sombre, étaient trempés jusqu'à l'os et se fusillaient mutuellement du regard. Pourtant, à l'évidence, ils n'avaient pas baissé les bras. Ils rôdaient dans l'aire de stationnement, les yeux braqués sur une clôture sécurisée, cherchant quelque moyen de la franchir.

La serveuse déposa sur la table une seconde tasse de thé et une assiette de toasts.

— Tu es perdu dans tes pensées, on dirait, dit-elle.

— Il y a un peu de ça.

Jusqu'alors, il avait apprécié la présence rassurante de la femme, mais il souhaitait désormais espionner en paix les agissements de l'équipe de Tomaszewski. Elle s'assit sur le coin de la table la plus proche.

— Tu sais, si tu as des soucis, tu devrais peut-être te confier, dit-elle. Je peux être de bon conseil.

À l'extérieur, l'un des Polonais ouvrit la porte d'un bus. Luc leva les yeux au ciel.

— Comme si j'allais déballer mes problèmes devant une employée de cuisine ! lança-t-il sur un ton méprisant.

La femme tressaillit.

— Dis donc, jeune homme, est-ce une façon de parler aux gens ? J'ai été bien aimable avec toi, et tu pourrais au moins me traiter avec respect !

En se tournant vers la fenêtre, Luc constata que les Polonais avaient disparu de son champ de vision. Sans doute avaient-ils aperçu les lumières à l'intérieur de la cantine et décidé de s'attaquer à un véhicule moins exposé aux regards.

— J'ai déjà vu des enfants insolents, mais alors toi, c'est le pompon !

— Ferme ta gueule, la vieille ! cria Luc avant de se redresser d'un bond et de plaquer la serveuse contre le mur. À cause de toi, je les ai perdus de vue !

Affolée, la femme battit en retraite vers le comptoir, trébucha puis s'affala à plat ventre. Son dentier s'échappa de sa bouche et glissa sur le carrelage.

— Sors d'ici ! hurla-t-elle, le nez en sang. Espèce de monstre !

— Tes toasts sont dégueulasses, ricana Luc en lui jetant le contenu de sa tasse au visage.

Il épaula sa sacoche, écrasa la prothèse dentaire du talon puis, sourire aux lèvres, quitta le bâtiment sous les injures de sa victime.

Dopé par l'agression gratuite à laquelle il venait de se livrer, Luc avait retrouvé sa confiance naturelle. Comment avait-il pu songer, ne fût-ce qu'un instant, à se rendre aux autorités ? Baisser les bras à cause d'un incident matériel et de quelques gouttes de pluie ? Désormais, il était déterminé à triompher.

Certes, il était exclu de retrouver ses coéquipiers, mais il lui restait une possibilité de mener à bien la mission : il devait suivre les hommes de Tomaszewski sans se faire remarquer, leur laisser prendre tous les risques, puis faire main basse sur le canon antiaérien dès qu'ils s'en seraient emparés.

Alors qu'il courait vers le parking, la serveuse tituba hors du bâtiment et se mit à hurler à pleins poumons.

Luc aperçut Tomaszewski et deux de ses hommes, droit devant lui, à une cinquantaine de mètres. L'un d'eux monta à bord d'un bus, s'accroupit près du siège du chauffeur puis entreprit de démonter le tableau de bord. Ses complices faisaient le guet devant la portière.

Luc réalisa qu'il aurait dû neutraliser la serveuse avant de se mettre en route. Ses appels à l'aide avaient alerté un détachement de sentinelles. Les ouvriers de l'usine d'armement se penchaient aux fenêtres pour voir de quoi il retournait.

Le moteur du bus gronda. Luc se trouvait désormais à une dizaine de mètres. Tomaszewski, debout sur le marchepied, semblait anxieux.

— Adamczyk ? appela-t-il.

Adamczyk, le plus petit membre de l'équipe, s'était isolé pour satisfaire une envie pressante. Il jaillit d'un buisson tout proche, reboutonna sa braguette et adressa un geste d'excuse à son lieutenant. À cet instant précis, un soldat trapu surgi de nulle part saisit le Polonais par la gorge.

— Ça y est, j'ai attrapé ce petit salaud ! s'exclama-t-il avant de lui porter un violent coup de poing au visage. Alors, tu aimes ça, espèce d'animal ? Je vais t'apprendre, moi, à t'en prendre aux vieilles dames.

Luc, que cette méprise amusait au plus haut point, atteignit l'arrière du bus. Lorsqu'il se hissa sur le marchepied de la porte de secours, Tomszewski donna l'ordre de se mettre en route sans attendre Adamczyk.

Par chance, le Polonais qui occupait le siège du chauffeur était inexpérimenté, si bien que le moteur cala à deux reprises. Au mépris de la fumée pestilentielle crachée par le pot d'échappement, Luc tourna la poignée du compartiment à bagages, s'y glissa vivement, puis referma la portière derrière lui une fraction de seconde avant que le bus ne prenne de la vitesse.

Le temps que les gardes réalisent que le pauvre Adamczyk n'avait rien à voir avec le jeune inconnu qui avait molesté la serveuse, Luc se trouverait déjà à des kilomètres du complexe industriel.

CHAPITRE TRENTE ET UN

La fabrique de vêtements Hugh Walden était un vaste hangar flanqué d'un bâtiment de cinq étages. Le district de Manchester comptait de nombreux ateliers de confection, mais la plupart ne disposaient que de métiers manuels et de machines entraînées par des roues à aubes. De par leur modernisme, les établissements Walden contrastaient avec les maisons croulantes, entassées les unes sur les autres le long d'étroites rues pavées.

Avant la déclaration de guerre, la fabrique fournissait de coûteux sous-vêtements féminins en soie aux grands magasins du monde entier. Depuis, ses activités avaient été profondément bouleversées. De ses chaînes ultramodernes sortaient désormais la moitié des toiles de parachute produites dans l'Empire britannique. Revers de la médaille, sa taille importante en faisait une cible particulièrement vulnérable aux bombardements ennemis. Le site était protégé par une douzaine de ballons de barrage censés prévenir toute attaque à basse altitude. Le toit était équipé de tours de guet, de puissants projecteurs, de postes de DCA et de quatre canons antiaériens de calibre vingt millimètres.

Si l'espace aérien était sous étroite surveillance, les mesures au sol étaient plutôt relâchées. Il était sept heures du matin, et la ville restait plongée dans une semi-obscurité. PT, Marc, Joël et Rosie, qui venaient de faire le tour de la fabrique, étaient pleinement satisfaits.

L'entrée où transitaient camions et personnel était bien gardée. De temps à autre, les gardes, quinquagénaires pour la plupart, soumettaient quelques ouvriers sélectionnés au hasard à une fouille minutieuse afin de décourager la fauche, mais au-delà du portail, la clôture grillagée ne s'élevait pas à plus d'un mètre cinquante.

Les quatre coéquipiers étaient éreintés et trempés, mais la configuration favorable des lieux leur avait redonné du baume au cœur. Ils entrèrent dans la cafétéria située en face de l'usine et constatèrent que les soixante tables étaient occupées. Il régnait un vacarme infernal, et l'air était saturé de fumée de cigarette.

Alors, PT, Rosie, Marc et Joël remarquèrent que la clientèle était exclusivement composée de femmes. Il y en avait de tous les âges, de toutes les tailles et de toutes les corpulences. Elles ne portaient pas de maquillage, afin de ne pas souiller la précieuse soie. Les conversations tournaient autour de leurs maris et petits amis, et chacun en prenait pour son grade.

Lorsqu'un groupe de clientes se leva, PT se précipita vers leur table.

— Eh, tu es drôlement mignon, gloussa l'une d'elles avant de lui pincer les fesses et d'éclater d'un rire tonitruant.

Rouge d'embarras, PT se laissa tomber sur une chaise. Il comprenait à présent pourquoi les chauffeurs et les manœuvres de la fabrique évitaient soigneusement l'établissement.

— Qu'est-ce que vous prendrez ? leur demanda une serveuse.

— Du thé et des toasts, répondit Rosie.

PT sortit son portefeuille.

— Vous paierez au comptoir, avant de sortir, expliqua la jeune femme.

Les agents ôtèrent autant de vêtements mouillés que le permettait la décence, et se frottèrent énergiquement les mains en attendant l'arrivée de leur commande.

Il régnait un tel brouhaha qu'ils estimèrent pouvoir s'exprimer librement. En outre, il était peu probable que l'une des Mancuniennes présentes dans la salle comprenne le français.

— Je suis plutôt content de ce qu'on a vu lors du tour de reconnaissance, dit Joël.

Marc et PT hochèrent la tête de concert. Rosie semblait moins enthousiaste.

— Nous n'avons pas pu voir ce qui se trouve sur le toit.

— Il n'y a personne, répondit Marc.

— Qu'est-ce qui te permet d'être aussi affirmatif ?

La serveuse plaça sur la table quatre tasses de thé et huit toasts beurrés, disposés sur une assiette ébréchée.

— Désolée, mais nous sommes à court de vaisselle, dit-elle. C'est toujours la même histoire, avant le changement d'équipe.

— À quelle heure les ouvriers terminent-ils leur service ? demanda Rosie. Je suis venue chercher ma sœur.

— À huit heures. Et si tu reviens à ce moment-là, tu ne trouveras guère plus de six clients, tu peux me croire.

— Merci beaucoup, dit PT.

Les agents, qui n'avaient rien avalé depuis leur départ d'Écosse, liquidèrent les toasts en moins de deux minutes.

— Qu'est-ce qui te fait dire qu'il n'y a personne sur le toit ? insista Joël.

— Parce que le soleil se lève, tout simplement, expliqua Marc. Nous sommes au nord-ouest de l'Angleterre. Si les Allemands choisissaient de frapper à cette heure, ils seraient obligés de traverser tout le pays, puis de survoler la mer du Nord en plein jour. Cette hypothèse est invraisemblable.

— Logique, dit Rosie.

— Mais comment va-t-on monter là-haut ? demanda PT.

— Il y a des échelles à l'arrière du bâtiment, répondit Joël. Au moins deux, si je me souviens bien.

— Exact. Finalement, notre seul problème, c'est de descendre le canon. C'est une arme extrêmement lourde, ne l'oubliez pas. Il nous faudrait utiliser des cordes. Ça prendrait du temps, et on aurait toutes les chances d'être repérés.

— Alors qu'est-ce qu'on va faire ?

— On va passer par les bureaux, sourit PT. On monte au troisième étage, on accède au toit, et on descend la pétoire par les escaliers.

．．．

La rouille rongeait les angles du compartiment à bagages, si bien que la boue soulevée par les roues arrière du bus mouchetait l'intérieur de l'habitacle. Pour couronner le tout, le Polonais qui avait pris le volant conduisait comme un sauvage. Luc était projeté à gauche et à droite, propulsé au plafond au moindre nid-de-poule, et percutait régulièrement la portière.

Quarante-cinq minutes après avoir quitté le complexe, lorsque le bus s'immobilisa, Luc éprouva la sensation d'avoir été roué de coups. Il devait s'extraire du véhicule aussi vite que possible afin de ne pas perdre les Polonais de vue, mais le compartiment n'avait pas été conçu pour être ouvert de l'intérieur.

La poignée, qui avait tourné si facilement lorsqu'il s'était introduit dans le coffre, se prolongeait par une tige métallique à section carrée. Après avoir vainement tenté de la manipuler, Luc envisagea froidement la possibilité de rester prisonnier pendant des heures dans le compartiment.

En désespoir de cause, il donna de grands coups de pied dans la tôle. Il produisit un vacarme infernal mais ne réussit, au bout du compte, qu'à tordre la barre de métal.

— Merde, merde, bande de salauds, merde, merde !
gronda-t-il en martelant les parois de sa prison.

Gagné par la claustrophobie, il se moquait désormais
d'attirer l'attention des Polonais. Soudain, la tige de
fer pivota sur son axe puis la pâle lueur du petit matin
illumina l'intérieur du compartiment.

— Quel drôle d'endroit pour passer la nuit, ricana
un homme à la moustache fournie.

Malgré l'agacement que lui inspirait le ton ironique
de l'individu, Luc se glissa hors du coffre. Sans un mot
pour son sauveteur, il chercha les Polonais du regard.
En levant les yeux, il découvrit une énorme grue de
déchargement dont la cheminée crachait de la vapeur.
Au-dessus d'un mur de briques surmonté de pointes
métalliques, on apercevait le pont supérieur d'un cargo.
Tomaszewski et ses hommes étaient introuvables.
Des dockers tirant des charrettes à bras effectuaient des
allers-retours entre le portail des douanes permettant
d'accéder aux quais et un hangar calciné situé de l'autre
côté de la rue pavée.

Quelque temps plus tôt, le bâtiment avait été touché
par des bombes incendiaires. Lorsqu'il avait achevé de
se consumer, les autorités portuaires avaient déblayé
les débris, puis reconverti son sol de béton noirci en
une zone de déchargement flanquée de deux murs à
demi écroulés reliés par un amas de poutres calcinées.
Luc considéra le chaos de charrettes, de manœuvres
et de chevaux, puis décida qu'il valait mieux patienter

près du bus pour attendre un hypothétique retour des Polonais.

Alors, il aperçut un pylône qui s'élevait au-dessus du toit endommagé, dressé dans un renfoncement entre l'une des parois du hangar et le bâtiment voisin. Sa structure métallique ne portait pas la moindre trace de l'incendie, preuve qu'elle avait été installée après le bombardement. Une plate-forme était perchée à dix mètres du sol. Derrière un mur de sacs de sable, on pouvait apercevoir la bouche d'un canon de vingt millimètres.

Les Polonais étaient toujours invisibles, mais Luc était convaincu qu'ils avaient enfin localisé leur objectif.

CHAPITRE TRENTE-DEUX

À huit heures précises, la sirène de la fabrique Walden retentit. Quelques minutes plus tard, une foule de patronniers, de couturières, de machinistes et de magasiniers qui avaient pris leur service à minuit déferla dans la rue, puis les membres de la première équipe de jour se massèrent à leur tour devant le portail de l'usine. Les employés se relayaient vingt-quatre heures sur vingt-quatre. Seuls la fin du conflit ou un bombardement allemand pouvait désormais interrompre la production industrielle de toiles de parachute.

Le changement d'équipe offrait une chance unique de pénétrer dans la fabrique, mais la mission d'infiltration n'était pas adaptée à la spécificité des agents d'Henderson. Compte tenu de leur âge, Rosie, Joël et Marc seraient immédiatement repérés.

En revanche, PT pouvait raisonnablement se faire passer pour un apprenti machiniste ou un simple manœuvre. Il abandonna ses camarades à l'entrée de l'usine et se glissa dans la file du personnel. Il marcha droit devant lui, l'air confiant et affairé, sans un regard pour les gardes chargés du contrôle, puis il pénétra sans hésitation dans le bâtiment.

Les employées formaient une file d'attente devant le tableau de pointage. PT franchit calmement la large porte menant à l'atelier. Sur sa gauche, il découvrit les longues tables surmontées d'un rouleau de soie chatoyante où les patrons étaient découpés. Les ouvrières ôtèrent leur manteau, le suspendirent à des patères puis s'installèrent à leur poste. Un individu vêtu d'un costume brun réprimandait les retardataires.

— Du nerf, mesdames, dit-il, l'air important, en claquant dans ses mains. Cessez de lambiner !

PT s'efforça de ne pas croiser le regard du contremaître, mais il n'échappa pas à son œil soupçonneux.

— Qu'est-ce que tu es venu chercher ? demanda ce dernier.

— Un seau, répondit PT. Je suis chargé de nettoyer le sol avant l'arrivée de Mr Walden.

— À ta place, je ne me ferais pas trop de souci pour Mr Walden, sourit l'homme. Il est mort il y a quinze ans. On a dû te faire une blague pour ton premier jour de travail. Tu trouveras tout ce qu'il te faut derrière la porte bleue, là-bas, dans le hall, mais remets bien tout en place quand tu auras terminé.

— Merci, monsieur.

PT rebroussa chemin et entra dans le local où étaient entreposés balais et produits ménagers. Il remplit un seau au lavabo, s'empara d'un balai-brosse, traversa le

296

hall puis poussa la porte communiquant avec le bâtiment des services administratifs.

L'employé posté derrière le comptoir, face à l'entrée des visiteurs, ne cilla pas à son passage. PT s'engagea dans un couloir au sol et aux murs recouverts de marbre. Des mannequins vêtus de chemises de nuit Walden montaient la garde près de l'ascenseur. En consultant le tableau de service, il constata avec soulagement que les employés de bureaux ne prenaient pas leur poste avant neuf heures.

Au troisième étage, il traversa une salle réservée aux secrétaires dactylographes, puis se glissa dans le bureau du directeur. Une large fenêtre dominait d'un mètre le toit goudronné. Comme Marc l'avait prédit, les DCA et l'éclairage aérien étaient désertés. Une employée chargée de la maintenance réparait le revêtement étanche dans l'angle le plus éloigné, à plus de cent mètres de sa position.

Satisfait d'avoir trouvé aussi rapidement un moyen d'accéder à la toiture, PT revint sur ses pas et pénétra dans le bureau situé de l'autre côté de la cage d'ascenseur. De là, il pouvait apercevoir Joël, qui patientait dans la rue, derrière une portion de grillage affaissée. Il ouvrit la fenêtre, émit un sifflement pour attirer l'attention de son camarade, puis leva un pouce en l'air avant de se ruer dans l'escalier.

Rosie fut la première à se présenter à l'entrée des visiteurs. Elle paraissait trop jeune pour faire partie du personnel. L'employé chargé de l'accueil lui jeta un regard compatissant.

— Tu as l'air un peu perdue, dit-il. Et plutôt humide...

PT déboula au bas des marches et se précipita vers le comptoir.

— Tu ne peux pas me foutre la paix, à la fin ? cria-t-il, feignant la colère. Je te rappelle que nous ne sommes pas mariés !

Sur ces mots, à la grande stupéfaction du garde, il saisit Rosie par le col et lui adressa une claque magistrale. Aussitôt, elle poussa des sanglots à briser le cœur.

— Eh là ! s'écria l'employé. Ce n'est une façon de traiter une femme, mon garçon !

— Tu n'es pas content ? rugit PT. Occupe-toi de tes oignons, gros lard !

Le garde, qui n'était plus un jeune homme mais avait conservé une carrure d'athlète, brandit un poing serré.

— Sale petit hooligan ! gronda-t-il. Je vais t'apprendre le respect.

PT laissa Rosie se dégager et reculer de trois pas tandis que l'homme, ayant contourné le comptoir, fonçait droit sur lui. Il esquiva un direct, puis laissa sa partenaire lui porter un coup sec à la tempe.

L'employé s'écroula lourdement sur le sol. L'attaque qu'il venait d'essuyer aurait assommé tout individu normalement constitué, mais il roula sur le dos et tenta de se relever. PT l'en dissuada d'un violent coup de pied dans les côtes. À cet instant précis, Marc et Joël

298

pénétrèrent dans le bâtiment puis sortirent de leurs poches des morceaux de corde.

— Rosie, appelle l'ascenseur, au bout du couloir, ordonna PT en se laissant tomber sur le garde afin de l'immobiliser.

Les agents, qui ne s'étaient pas préparés à un affrontement aussi violent, se trouvaient dans un état d'extrême tension. Si, d'aventure, une secrétaire se présentait pour prendre son service plus tôt que prévu, leur compte était bon.

Rosie retint la grille de l'ascenseur afin d'empêcher la porte de se refermer. Au prix d'une ultime empoignade, Joël parvint à lier les poignets du garde, puis les garçons le soulevèrent, sans qu'il cesse de hurler et de se débattre.

Soudain, l'homme se pencha en avant et mordit férocement Marc, qui soutenait ses épaules. Ce dernier poussa un cri déchirant. Incapables de porter plus loin leur prisonnier, ses coéquipiers le laissèrent tomber sur le sol de marbre. PT, à bout de nerfs, lui porta un direct au plexus solaire.

— Tiens-toi tranquille ! menaça-t-il. Ne nous force pas à t'assommer.

Les agents parvinrent tant bien que mal à l'installer dans l'ascenseur. Rosie ne put embarquer, faute de place. Elle referma la grille puis, tandis que la cabine entamait son ascension, écouta avec inquiétude les beuglements de l'employé. Enfin, elle se rua dans l'escalier et gravit les marches trois par trois.

Luc entra dans le hangar incendié sans que personne remarque sa présence. On y échangeait des marchandises dûment autorisées par les douanes, mais aussi des produits du marché noir, depuis les boîtes de clous jusqu'aux fruits frais dont les dockers avaient rempli leurs poches. Il lâcha quelques pièces de monnaie en échange de trois oranges, auxquelles il n'avait pas goûté depuis qu'il avait quitté la France, six mois plus tôt.

Il ne lâchait pas les Polonais du regard. Après avoir reconnu les lieux, ils étaient retournés au bus afin de s'emparer de la boîte qui contenait les outils nécessaires aux menues réparations, cric, clés et tournevis. Ils gravirent le pylône sans rencontrer d'opposition. En temps de paix, le canon aurait été placé sous bonne garde vingt-quatre heures sur vingt-quatre mais, pour l'heure, des dizaines de milliers d'armes lourdes étaient disséminées dans tout le Royaume-Uni. Les autorités éprouvaient des difficultés à recruter des hommes pour le service de nuit ; de jour, il était tout simplement impossible de pourvoir à tous les postes de défense.

Tandis que les Polonais commençaient à démonter le canon de son socle, Luc ourdit un plan visant à contrecarrer leurs projets. Le hangar grouillait de dockers, des hommes âgés prêts à porter n'importe quel chargement en échange de quelques pence.

S'il se savait capable de dominer dix garçons de son âge en même temps, Luc redoutait Tomaszewski et ses hommes, des militaires aguerris qui, comme lui, avaient suivi un entraînement intensif. Il n'avait qu'un avantage : ses adversaires ignoraient qu'il épiait leurs moindres faits et gestes.

Un amas de poutres calcinées et de verre brisé recouvert de neige avait été rassemblé dans l'espace de cinq mètres de large qui séparait le hangar du pylône.

En levant la tête, Luc vit les Polonais ôter le dernier boulon du socle et soulever le canon. Tandis que deux hommes entamaient la procédure de démontage de l'arme, le troisième descendit les premiers degrés de l'échelle. Avait-il l'intention de retourner au bus ou avait-il pour mission de trouver un chariot afin de faciliter le transport de l'arme ?

Dès qu'il eut posé pied sur le sol glacé, Luc, qui se tenait dans son dos, mit une main sur son épaule et murmura :

— Excusez-moi, monsieur…

Le soldat se retourna vivement. Aussitôt, Luc le frappa au visage avec une planche dénichée dans le tas de débris, lui brisant cinq dents de devant, puis l'assomma d'un second coup à la tempe.

Il jeta un bref coup d'œil autour de lui pour vérifier que personne n'avait assisté à l'agression, puis s'agenouilla au chevet du Polonais pour s'assurer qu'il ne reprendrait pas connaissance de sitôt. En des circonstances réelles, il l'aurait égorgé sans hésitation, mais en dépit du tour sauvage que prenaient les événements, il s'agissait d'un simple exercice.

Le sourire aux lèvres, il essuya ses mains sur le visage livide de sa victime.

— Plus que deux, murmura-t-il.

CHAPITRE TRENTE-TROIS

Armée d'une lourde clé dynamométrique, Rosie faisait le guet derrière la porte du bureau. Le garde ligoté et bâillonné, allongé sous la table, la fixait d'un œil haineux.

Embusqués derrière un muret constitué de sacs de sable, les trois garçons désassemblaient le canon anti-aérien. La procédure n'était pas plus complexe que le nettoyage d'armes qui suivait chaque séance d'entraînement au tir à l'école, mais les pièces étaient plus lourdes et plus volumineuses. La seule manipulation délicate consistait à séparer l'énorme culasse de son socle pivotant.

Marc, allongé inconfortablement sur le siège du tireur, s'acharnait sur une clé de toutes ses forces.

— Nom de Dieu, soupira-t-il en se redressant. Ce boulon a dû être serré par un gorille.

— Luc n'est jamais là quand on a besoin de lui, grogna Joël.

— Il doit être dans le train pour Londres, à l'heure qu'il est, en compagnie de Paul et de Takada, dit PT.

Il marqua une pause puis s'esclaffa :

— Ou pendu dans un arbre par les suspentes de son parachute.

— Passe-moi le marteau, s'il te plaît. Joël, tiens-moi cette clé.

PT fouilla dans sa musette et remit l'outil à son coéquipier, puis il se leva et saisit l'extrémité du canon afin d'éviter que l'arme ne pivote.

Marc reprit sa position couchée et martela énergiquement l'écrou.

— Aïïïe ! hurla Joël avant de reculer en se serrant le pouce. Regarde où tu tapes, espèce de crétin !

— Je ne vois rien, là-dessous, répliqua Marc.

Il donna un nouveau tour de clé et le boulon tourna librement.

— Ne suis-je pas génial ? gloussa-t-il. Allez, courage, plus que trois.

— Si le génie me tape encore sur les doigts, je lui fais avaler sa clé à mollette.

— Arrête ton char, je t'ai à peine frôlé. Prêts ?

Marc renouvela la manœuvre à trois reprises. Lorsque le dernier boulon eut rendu les armes, le canon commença à glisser lentement sur son socle. Craignant que l'arme ne broie les jambes de son camarade, PT repoussa la culasse à pleines mains, si bien qu'elle tomba sur le sol goudronné de la toiture en produisant un choc sourd.

Marc abandonna les outils que contenait sa musette, puis y glissa le viseur optique, le chargeur à tambour et diverses pièces détachées. PT et Joël tentèrent de soulever le corps du canon.

— La vache ! gémit ce dernier en épongeant son front d'un revers de manche.

— C'est beaucoup plus lourd que je ne l'imaginais, confirma PT.

Marc remit les sacs à Rosie qui se tenait devant la fenêtre du bureau puis, constatant que ses coéquipiers éprouvaient les pires difficultés à déplacer le canon, il courut leur prêter main-forte.

— Je vais saisir l'extrémité, et vous tiendrez la culasse, dit-il.

Lorsqu'ils eurent posé l'arme contre le mur du bâtiment administratif, ils s'accordèrent quelques secondes de repos.

— Ça avance ? demanda Rosie en se penchant vers l'extérieur. J'ai entendu des pas à l'étage, et le garde a déjà craché son bâillon deux fois. Il vaudrait mieux ne pas traîner dans le coin.

— Le métal a au moins deux centimètres et demi d'épaisseur, expliqua PT. Je pense qu'on pourra faire passer le canon dans le bureau, mais nous n'irons pas plus loin sans chariot à roulettes.

— On va en baver pour ramener ce truc à Londres, estima Rosie, mais je vais voir ce que je peux trouver.

La salle des secrétaires était meublée de trois rangées de huit petites tables équipées d'une machine à écrire et de casiers à documents. Assise devant l'une d'elle, une jeune femme maigre et voûtée aux cheveux frisés faisait cliqueter une paire d'aiguilles à tricoter.

Rosie se remémora le conseil d'Henderson : il suffit d'avoir l'air confiant et de parler aux gens de façon directe pour qu'ils avalent les explications les plus invraisemblables.

— Bonjour, lança-t-elle. J'accompagne mon père, qui est chargé de la maintenance du canon installé sur le toit. Nous avons besoin de le descendre au rez-de-chaussée pour le ramener à l'usine. Savez-vous où je pourrais trouver un chariot roulant ?

La femme posa son tricot sur ses cuisses et la considéra avec des yeux usés.

— Un chariot ? répéta-t-elle avec une lenteur exaspérante avant d'observer une pause. Oui, je crois que nous avons ce qu'il vous faut.

Elle posa son ouvrage dans un panier d'osier, se dirigea vers le fond de la salle et franchit une porte battante.

Les garçons poussèrent une bordée de jurons lorsque le canon bascula par-dessus l'appui de la fenêtre et s'écrasa sur le sol du bureau.

La secrétaire réapparut en poussant un diable pourvu de deux solides roulettes.

— Ça m'a l'air *parfait*, dit Rosie en tentant de modérer son enthousiasme, comme il convenait à une jeune fille participant à une banale tâche de maintenance.

— C'est avec ça qu'on transporte les cartons de

dossiers, expliqua la femme, alors n'oublie pas de le ramener dès que vous en aurez terminé.

— Bien entendu, mentit Rosie.

Sur ces mots, elle lui adressa un sourire aimable puis se dirigea vers le bureau.

— Formidable, chuchota PT en apercevant le diable. Rosie remarqua que le garde étendu sous la table s'apprêtait à se débarrasser une nouvelle fois de son bâillon. Elle s'accroupit à ses côtés, enfonça les mouchoirs au fond de sa gorge puis brandit sa lourde clé.

— Pour la dernière fois, je te demande de te tenir tranquille, menaça-t-elle en frappant l'outil dans la paume de sa main. Ma patience a des limites.

PT stabilisa le diable tandis que Marc et Joël y installaient le canon. De la bouche à l'extrémité de la culasse, il mesurait plus d'un mètre cinquante. Craignant qu'il ne tombe à terre pendant son transport, ils l'attachèrent à l'aide d'un morceau de corde.

— Je vais appeler l'ascenseur, dit Rosie en se dirigeant vers le palier.

Lorsqu'elle atteignit le palier, elle vit la cabine s'élever vers les étages supérieurs, un homme et une femme à son bord, effectuer une brève halte, puis entamer sa descente. Lorsqu'elle fut certaine qu'elle était inoccupée, elle fit signe à ses coéquipiers de la rejoindre.

— Cette pétoire pèse beaucoup trop lourd, chuchota PT. Je pensais qu'on pourrait passer par l'arrière du bâtiment et marcher à travers champs, mais les roulettes s'enfonceraient dans la boue.

— Et si on tentait le tout pour le tout, en passant par la porte de devant ? suggéra Marc tandis qu'ils prenaient place à bord de la cabine.

— L'entrée de l'usine n'est qu'à quelques mètres. Les gardes chargés de contrôler les employés risquent de nous tomber dessus, s'ils nous voient avec tout ce chargement. Mais a-t-on vraiment le choix ?

— J'ai aperçu une autre porte donnant sur le parking du personnel, déclara Rosie.

— On aurait dû réfléchir à tout ça avant, maugréa Marc quelques secondes avant que l'ascenseur n'atteigne le rez-de-chaussée.

— Comment pouvais-je savoir que ce canon pesait aussi lourd ? se défendit PT.

Dans l'entrée, ils croisèrent un homme en costume trois-pièces qui disparut dans l'escalier.

— Il y a trop de monde ici, s'inquiéta Rosie.

— Garde l'air confiant, dit PT en poussant le diable dans le couloir tapissé de marbre menant à l'entrée.

Une jolie jeune femme se tenait devant le comptoir. Elle portait une jupe longue, un chemisier bleu ciel et une casquette de l'administration des postes.

— Excusez-moi, demanda-t-elle à PT. Vous travaillez ici ? J'ai apporté plusieurs sacs de courrier, et je dois faire signer ces reçus par Mr Harvey.

— Je vais signer pour lui, dit PT en s'emparant du document. Mr Harvey est souffrant. Une crise de foie, paraît-il.

308

— Trop de bière brune, tel que je le connais, gloussa la femme.

Lorsqu'elle se dirigea vers la sortie, PT considéra pensivement la courbe de ses hanches.

— Qu'est-ce que tu attends pour la suivre, chuchota Rosie en le poussant dans le dos.

— Eh, du calme. Je l'ai à peine regardée.

Sa coéquipière lui lança un regard méprisant.

— Je ne suis pas jalouse, pauvre idiot. Elle n'est pas venue ici à pied avec tous ces sacs. Elle doit posséder une camionnette.

— Oh, zut, tu as raison, s'étrangla PT. Marc, accompagne-la. Joël et moi, on doit encore porter le canon en bas des marches du perron.

Marc et Rosie franchirent la porte et coururent vers la camionnette rouge stationnée devant l'entrée. L'employée des postes ouvrit la portière et jeta son carnet à souche sur le siège passager.

— Je crois que vous avez laissé tomber quelque chose, dit Rosie.

Elle jeta un bref coup d'œil sur sa gauche et constata avec soulagement que les gardes chargés de surveiller le portail principal de l'usine avaient quitté leur poste dès que les ouvrières avaient rejoint l'atelier. Lorsque la jeune femme pivota sur les talons, elle lui donna un léger coup de clé anglaise à la tempe. C'était un geste parfait, peu appuyé mais impeccablement ajusté. Marc serra la préposée inconsciente dans ses bras afin d'éviter qu'elle ne s'affale sur l'asphalte.

PT et Joël portèrent le diable jusqu'en bas des marches. Rosie ouvrit les portières arrière de la camionnette.

— Qu'est-ce qu'on fait d'elle ? demanda Marc. On l'embarque ?

— Le compartiment est presque plein, et on est quatre, répondit Rosie en commençant à déposer colis et sacs postaux sur le trottoir.

— L'un de vous sait-il conduire ce truc ? s'inquiéta Marc.

Trois étages plus haut, le garde ouvrit une fenêtre et se mit à hurler :

— Alerte ! Alerte ! Arrêtez ces gamins !

Rosie grimpa sur le siège du passager avant. Joël et PT firent basculer le canon dans le compartiment. Sans cesser de brailler, le garde s'empara d'un pot de fleurs et le lança dans leur direction. Le projectile se brisa sur le toit de la camionnette, dispersant terreau et pétales sur la chaussée.

— Marc, Joël, montez à l'arrière, ordonna PT.

— Tu veux dire que tu sais conduire ? demanda Marc.

— Un peu, répondit son coéquipier en claquant la double porte. Enfin, j'ai déjà un peu roulé, sur des petites routes.

Installés près du canon, Joël et Marc échangèrent un regard anxieux.

— Où est la clé ? cria PT.

— Elle est déjà sur le contact, répondit Rosie.

PT se sentait complètement dépassé. Au temps où il vivait aux États-Unis, son père lui avait enseigné quelques rudiments de conduite, mais cette expérience remontait à plusieurs années. En outre, le volant et le levier de vitesse étaient inversés. Il tourna la clé de contact, enfonça la pédale d'embrayage puis enclencha fébrilement la marche arrière.

La boîte de vitesses émit un craquement sinistre. Le garde dévala les marches du perron. Droit devant, deux vieux agents de sécurité jaillirent du poste de garde de l'usine et remontèrent la rue au pas de course.

— Qu'est-ce que tu attends pour mettre la gomme ? hurla Rosie.

Lorsque PT relâcha la pédale d'embrayage, le moteur toussota et manqua de caler, puis la camionnette s'ébranla.

Le vigile tira fermement la poignée de la portière avant droite et parvint à l'entrouvrir.

— Viens par ici, espèce de petite ordure, grogna-t-il en essayant de saisir le bras de PT.

Ce dernier passa la première, et la camionnette bondit en avant. Le canon, dont l'extrémité reposait sur le dossier de Rosie, glissa vers le centre, cloua la cheville gauche de Joël contre le plancher et heurta le levier de vitesse, le positionnant au point mort.

Le moteur cala. Joël poussa un hurlement de douleur. Le garde saisit solidement la manche de PT et tira de toutes ses forces.

Affolé, Marc fouilla dans sa sacoche, en sortit son couteau de chasse, le planta sans hésiter dans l'avant-bras de l'homme puis le retira. Au moment où PT tournait de nouveau la clé de contact, un jet de sang inonda son visage. Son adversaire lâcha prise, battit en retraite et tituba parmi les sacs postaux répandus sur la chaussée.

Les sentinelles lancées à leurs trousses n'étaient plus qu'à quelques mètres du pare-chocs avant. PT se pencha sur la droite pour fermer la portière, manipula fébrilement le levier de vitesse et parvint à passer la marche arrière. Le véhicule se remit en route.

— Les rétroviseurs sont mal réglés, dit-il. Marc, dis-moi ce qu'il y a derrière.

— Je crois que ma cheville est cassée, gémit Joël.

— Tu as vingt mètres de marge, annonça Marc. Tourne à gauche… à gauche, je te dis ! Tu vas monter sur le trottoir et te prendre un réverbère ! Dans l'autre sens, dans l'autre sens !

— Mais tu m'as dit d'aller à gauche ! C'est ce que j'ai fait !

PT comprit que le malentendu était dû au fait que son coéquipier regardait dans la direction opposée. Il rectifia sa trajectoire et demanda :

— Toujours rien derrière ?

— La voie est libre. Continue.

PT recula à vive allure jusqu'au carrefour le plus proche, donna un coup de volant pour orienter la camionnette dans l'axe d'une rue qui longeait la fabrique Walden, puis il écrasa la pédale de frein. Il examina le diagramme gravé sur une petite plaque de cuivre vissée sous la boîte de vitesses, sélectionna la première et relâcha l'embrayage.

— Tu roules du mauvais côté de la rue, avertit Rosie en posant une main sur le volant pour rectifier la trajectoire.

— Laisse-moi conduire ! rugit PT, sans quitter des yeux le levier de vitesse. Où est la seconde, nom de Dieu ?

La camionnette frôla l'aile d'une voiture garée le long du trottoir.

— Personne ne nous a pris en chasse, dit Marc lorsqu'ils s'engagèrent enfin sur une route déserte.

— Et maintenant, où est ce qu'on va ? demanda Rosie.

CHAPITRE TRENTE-QUATRE

Tapi derrière le mur endommagé du hangar, Luc espionnait les deux Polonais perchés en haut du pylône. Il ne comprenait pas leur langue, mais il lui suffisait d'observer leur comportement pour deviner de quoi il retournait.

Tomaszewski dirigeait les opérations. Son coéquipier, un simple soldat nommé Wozniak, n'était pas une lumière. Lors de son séjour à la base, il s'était laissé plumer au poker par PT bien après que les autres élèves parachutistes, ayant réalisé qu'ils n'avaient aucune chance de l'emporter, eurent baissé les bras.

Les Polonais déposèrent le corps de l'arme au pied du pylône à l'aide d'une corde, puis ils descendirent l'échelle, les pièces rangées dans des sacs suspendus à leurs épaules. Les traits de leur visage s'affaissèrent lorsqu'ils découvrirent leur camarade inconscient, la face ensanglantée.

Ils échangèrent quelques phrases dont Luc devina la teneur : une chute avait-elle causé l'accident dont leur coéquipier avait été victime ? Devaient-ils poursuivre l'exercice ou lui porter secours ?

Tomaszewski contourna le mur et s'adressa à un docker qui patientait près d'une charrette à quatre roues. De nature suspicieuse, ce dernier lui demanda trois billets de dix shillings en échange de ses services, un tarif équivalant à deux journées de travail.

En découvrant le corps inanimé du Polonais derrière le pylône, il supplia le lieutenant de reprendre son argent et de le laisser tranquille. Tomaszewski dut argumenter longuement et lui offrir davantage d'argent pour qu'il accepte de transporter son chargement.

Lorsque les trois hommes le hissèrent sur la charrette, le Polonais blessé esquissa quelques mouvements désordonnés puis commença à recouvrer ses esprits. Luc sentit ses tripes se serrer : à moins que les coups reçus ne lui aient fait perdre la mémoire, il allait forcément informer Tomaszewski de l'agression dont il avait été victime. Le docker se mit en route, suivi de près par les deux soldats chargés du canon.

À en juger aux difficultés qu'ils éprouvaient à se déplacer, Luc réalisa qu'il ne pourrait transporter seul l'arme et les sacs d'accessoires. Il n'avait pas le choix : il devait suivre ses rivaux jusqu'à Londres et s'emparer du canon au dernier moment.

Tomaszewski n'avait pris aucune mesure pour camoufler son butin. Les deux hommes traversèrent le hangar aussi rapidement que possible. Par chance, le blessé étendu sur la charrette attirait tous les regards. Des dockers l'aidèrent à s'installer à l'arrière d'un camion débâché dont le propriétaire accepta par bonté d'âme de le conduire à l'hôpital sans exiger la moindre rémunération.

Lorsqu'il fut certain que Tomaszewski et Wozniak se dirigeaient vers le bus, Luc fendit la foule des manœuvres puis emprunta une trajectoire détournée pour rejoindre le véhicule à leur insu. Déterminé à ne pas effectuer un nouveau trajet dans le compartiment à bagages, il se précipita vers la porte avant, laissée ouverte par les Polonais. Avant d'embarquer, il jeta un œil dans la soute latérale où ses adversaires avaient déniché les outils qui leur avaient permis de démonter le canon. Il cherchait désespérément une arme susceptible de les neutraliser dès leur arrivée à la gare de King's Cross.

L'espace confiné empestait l'essence. Il y trouva une combinaison de mécanicien roulée en boule, une corde de remorquage, un phare cassé, une lampe électrique, quelques bouteilles d'huile de vidange, de l'eau distillée et deux petits bidons de carburant.

Les Polonais se tenaient désormais à moins de trente mètres du bus. Luc estima que la lampe torche pouvait à l'occasion servir de gourdin, mais il était déjà en possession d'une chaîne de vélo et de la matraque réglementaire du policier. En revanche, le carburant pouvait servir à allumer un incendie. Il s'empara des bidons et se glissa dans le véhicule.

En se retournant vivement, il vit Tomaszewski et Wozniak traverser la rue. Il s'accroupit, progressa dans la travée centrale et s'allongea sur la banquette arrière.

Tandis que les deux hommes se bagarraient pour hisser le canon dans le véhicule, il resta allongé, les jambes repliées afin que ses pieds restent invisibles depuis les places les plus proches du siège du chauffeur.

Les Polonais déposèrent l'arme au milieu de la travée, puis discutèrent avec animation. Wozniak semblait bouleversé par la perte de ses deux coéquipiers. Luc ne comprenait pas un mot, mais leur expression suspicieuse démontrait qu'ils s'interrogeaient sur les conditions dans lesquelles leur camarade avait reçu une grave blessure au visage.

Au fil des phrases, Luc reconnut les mots *Walker* et *SOE*. Il comprit alors que ses adversaires étaient convaincus que le vice-amiral Walker avait dépêché un commando pour saboter leurs efforts. Il avait hâte de voir leurs têtes lorsqu'ils découvriraient qu'ils avaient été mystifiés par un garçon de treize ans.

. .

La camionnette roulait à vive allure vers le centre de Manchester.

— Vous avez vu la jauge ? s'inquiéta Rosie. Nous n'atteindrons jamais Londres avec un réservoir aux trois quarts vide, et nous ne possédons pas de tickets d'essence.

— De toute façon, nous sommes beaucoup trop repérables, fit observer PT. À l'heure qu'il est, tous les policiers de la région doivent être à la recherche d'une camionnette postale volée, avec quatre enfants à son bord.

— En plus, ajouta Marc, ne le prends pas mal, mais tu conduis comme un débutant. Continue comme ça, et on va tous finir contre un platane.

— Je n'arrive pas à me faire à la disposition du volant et du levier de vitesse, grogna PT.

Comme pour souligner cette affirmation, il cala à un carrefour. La voiture qui suivait le camion dut effectuer un freinage d'urgence. Le conducteur lança un coup d'avertisseur rageur.

— Ta gueule, connard ! hurla PT en brandissant le poing à la portière.

Hors de lui, il relâcha trop tôt la pédale d'embrayage et la camionnette tourna à gauche en vibrant violemment.

Adossé à la carrosserie, Joël, les deux mains serrées sur sa cheville douloureuse, n'avait pas prononcé un mot depuis de longues minutes. Des larmes roulaient sur son visage.

— Tu peux bouger le pied ? demanda Marc.

— Non, répondit Joël sans desserrer les dents. J'ai reçu tout le poids du canon sur l'articulation. Je me suis cassé le bras, il y a quelques années. C'était exactement le même genre de douleur.

— Dès le prochain arrêt, on verra si tu peux te tenir debout, dit PT tandis que la camionnette approchait d'un embranchement. Rosie, de quel côté on va ?

Son amie consulta la carte des environs de Manchester trouvée sous son siège.

— Je sais où nous sommes. Si on doit abandonner ce tas de boue, je suggère qu'on s'arrête à la gare de Piccadilly.

— Si tu le dis.

— C'est à environ trois kilomètres au sud. Continue tout droit.

— Et pour le canon ? demanda Marc. On ne peut pas se promener dans la gare à l'heure de pointe en trimbalant une arme lourde. Il faut qu'on trouve un moyen de la dissimuler.

— Quand je vivais près de Chicago, j'avais un étui pour ranger mes cannes à pêche, dit PT. Ça ferait parfaitement l'affaire.

— Et où va-t-on se procurer ça, à huit heures quarante du matin ?

— Voilà comment on va procéder, annonça Rosie. Dès notre arrivée à la gare, j'irai consulter les horaires et acheter cinq billets pour Londres.

— Pourquoi cinq ? s'étonna Marc.

— Parce que les autorités sont à la recherche de quatre enfants.

— Trois billets suffiront, gémit Joël. Je ne pourrai jamais descendre de ce camion.

— Il faut au moins que tu essayes, insista Rosie.

— C'est inutile, gronda Joël, furieux de constater que ses camarades ne semblaient pas prendre sa blessure au sérieux. Au mieux, j'arriverai peut-être à boitiller, et je ne ferai que vous ralentir. Je vais attendre le départ de votre train, puis je me rendrai à la police. Walker a expliqué que le nombre d'équipiers achevant l'exercice n'était pas pris en compte. Tout ce qui importe, c'est que l'arme soit livrée dans les délais.

— Ça ne nous dit toujours pas comment on va faire passer le canon, dit PT.

— J'y viens, soupira Rosie, agacée d'avoir été interrompue en plein exposé. Pendant que je serai dans la gare, vous l'attacherez au diable puis vous tâcherez de le camoufler en y entassant des vêtements et des sacs. Si quelqu'un nous fait une remarque, nous dirons que notre maison a été bombardée et que nous allons nous réfugier chez notre tante, en banlieue de Londres.

— Si les policiers recherchent un canon, je doute qu'ils avalent cette histoire, fit remarquer Marc. Pourquoi ne pas nous cacher dans un endroit tranquille pendant quelques heures ? Ensuite, il nous suffirait de trouver un vieux tapis quelque part pour dissimuler l'arme à l'intérieur.

— Impossible, répliqua PT. Il faut tenter le tout pour le tout, en espérant que notre signalement n'a pas encore été transmis à toutes les unités de police.

— Prochaine à droite, puis à gauche, dit Rosie.

Le camion s'immobilisa à un feu rouge. PT, qui semblait s'être accoutumé aux commandes du véhicule, effectua un virage sans à-coups.

Après avoir parcouru un kilomètre dans les rues de la ville, le véhicule dévala une forte pente puis passa sous un pont ferroviaire. Quelques dizaines de mètres plus loin, Rosie découvrit sur sa gauche huit voies de chemin de fer. Une locomotive roulant au pas crachait un épais nuage de suie.

En cette heure d'affluence, une foule de travailleurs se pressait sur le parvis de la gare. PT se gara le long du trottoir et sortit de sa poche intérieure le portefeuille dérobé à l'ouvrier agricole.

— Ça devrait largement suffire, dit-il en remettant à Rosie deux billets d'une livre. On te rejoint près du guichet.

— Non. Préparez le canon et attendez-moi ici. Mieux vaut passer le moins de temps possible à l'intérieur de la gare.

CHAPITRE TRENTE-CINQ

Rosie ôta son manteau, le remit à Marc puis descendit de la camionnette. Ses vêtements n'étaient plus aussi trempés qu'au moment où elle s'était présentée à la fabrique de parachutes, mais elle craignait que ses ourlets de pantalon et ses bottes incrustées de boue ne suscitent la curiosité. À son grand soulagement, les travailleurs qui se dirigeaient vers la gare routière toute proche semblaient avoir d'autres chats à fouetter.

Tandis qu'elle patientait dans la longue file d'attente qui s'était formée devant le guichet, Marc et PT enveloppèrent le canon dans des sacs postaux vides, le ficelèrent au diable et camouflèrent sa forme à l'aide du manteau de Rosie, de sacoches et de musettes.

Joël s'assit à l'arrière du camion. Il ôta sa botte et sa chaussette gauche, puis il inspecta sa blessure en pleine lumière. Sa cheville avait doublé de volume.

— Mon pote, je crois bien que ton pied est foutu, dit Marc avant de fouiller dans la sacoche de son camarade et d'en tirer sa lettre de reddition. Tiens, tu ferais mieux de garder ça sous la main, en cas de rencontre avec la police.

Rosie sortit de la gare et adressa de grands signes à ses coéquipiers.

— Il faut qu'on y aille, ajouta Marc. Ça va aller ?

— Tout ce qui m'importe, c'est que vous meniez à bien la mission, répondit Joël en repliant les jambes à l'intérieur du véhicule. Allez, enferme-moi. Ça fait un mal de chien, mais je ferai tout pour retenir les policiers.

— Dans six minutes, quai numéro trois ! cria Rosie. Dépêchez-vous !

Le visage crispé par l'effort, PT poussa le diable alourdi et déséquilibré par les sacs qui recouvraient le canon. Marc claqua les portières, saisit sa sacoche et la musette contenant les pièces détachées, puis suivit son coéquipier.

Ils mirent près de deux minutes à rejoindre le hall de la gare, une immense salle voûtée noircie par la fumée des locomotives.

Des rideaux de black-out obstruaient les fenêtres du petit train régional. Le mécanicien alimentait la chaudière. Des voyageurs en retard franchissaient à la hâte les portillons menant au quai. L'employé des chemins de fer chargé de fermer les portières annonça que le départ était imminent et les pressa d'embarquer à bord du premier wagon.

— On y est presque, dit Rosie en leva les yeux vers l'horloge de la gare.

À cet instant, remarquant deux policiers et un civil qui rôdaient près des portillons, elle se figea. PT fut emporté par le poids de son chargement, et le diable heurta ses chevilles. Elle lâcha un petit cri et trébucha en avant.

— Désolé, dit PT.

— Tu n'es pas blessée ? demanda Marc.

Sonnée par la douleur, Rosie secoua la tête.

— Deux agents de police, dit-elle. L'un s'est arrêté derrière les portillons. L'autre se dirige vers le train.

— Rien ne prouve qu'ils sont à notre recherche, fit observer Marc.

— Si, j'en suis certaine, répliqua Rosie en pivotant sur les talons. Faisons demi-tour avant qu'ils ne nous aperçoivent.

Les deux garçons s'exécutèrent.

— L'homme qui se trouve avec eux était derrière moi dans la file d'attente. Il m'a lancé un regard étrange.

— Tu es sûre que c'est lui ?

— Ça ne fait aucun doute. Et le voilà en compagnie de deux policiers, quelques minutes avant le départ du train.

— Qu'est-ce qu'on va bien pouvoir faire ? s'interrogea PT en scrutant la foule à la recherche d'autres officiers de police. Ils ont dû donner l'alerte.

— Comment savaient-ils qu'on se trouvait ici ? demanda Marc.

Rosie posa une main sur son front.

— Bon sang, je crois que j'ai fait une gaffe. Lorsque nous nous trouvions dans le bureau, à l'usine, je t'ai dit : *on va en baver pour ramener ce truc à Londres.* Forcément, le garde a tout entendu.

— Et merde ! jura PT. Tu n'aurais pas pu la fermer, pour une fois ?

— Ce n'est pas sa faute, plaida Marc. On aurait dû assommer ce type dès qu'il a commencé à faire sa mauvaise tête. Henderson ne l'aurait pas laissé lui mettre des bâtons dans les roues plus de cinq secondes.

— On retourne à la camionnette ? suggéra PT.

— La police doit être à sa recherche, mais s'ils ne l'ont pas encore trouvée, nous pourrions au moins rouler quelques kilomètres, rejoindre une autre gare, et regagner Londres en effectuant plusieurs changements, histoire de brouiller les pistes.

— Excellente idée.

Mais lorsqu'ils eurent franchi la porte latérale, ils découvrirent une voiture de police stationnée devant le camion postal. Sans égard pour la blessure dont souffrait Joël, un officier le maintenait plaqué contre la carrosserie et brandissait un poing serré devant son visage.

— Il le force à se tenir debout, murmura Rosie. Il doit souffrir le martyre.

PT vit une femme vêtue d'un manteau de fourrure sortir d'un vieux taxi, à trente mètres, devant l'entrée principale de la gare. Conscient que son chargement ne lui permettait pas de se déplacer rapidement, il adressa un coup de coude à Marc.

— Va demander au chauffeur de patienter, vite !

Marc courut jusqu'au taxi et attendit anxieusement que la cliente règle le montant de la course.

— Désolé mon petit, dit le chauffeur. Je n'ai pas le droit de charger ici. Il faudra que tu patientes à la station de taxi.

Rosie rejoignit son coéquipier.

— Nous devons nous rendre de toute urgence à la gare de Stockport, dit-elle, se souvenant qu'il s'agissait du premier arrêt prévu sur le trajet du train de Londres.

Sur ces mots, elle exhiba un billet d'une livre.

Le chauffeur jeta un regard anxieux à une voiture de police qui roulait au pas à une centaine de mètres.

— C'est bon, vous pouvez monter.

Rosie ouvrit la portière arrière gauche, puis Marc et PT couchèrent le diable entre les deux banquettes placées l'une en face de l'autre.

Tandis qu'on le traînait vers le véhicule de service, Joël aperçut le visage de ses camarades qui l'observaient, le nez contre la lunette arrière du taxi. Il détourna aussitôt le regard, considéra discrètement le visage du policier et comprit qu'il n'y avait vu que du feu.

⋮

Comme tous les participants à l'exercice, le lieutenant Tomaszewski n'avait pratiquement pas fermé l'œil la nuit passée. Il s'était installé sur une banquette du troisième rang, laissant Wozniak affronter les embouteillages qui paralysaient les rues situées aux abords du port puis localiser la route reliant Manchester à Londres. Il ôta sa chemise humide, s'étendit sur la banquette, tête contre la vitre, et s'endormit comme une masse.

Il s'éveilla vingt minutes plus tard avec la sensation diffuse que quelque chose ne tournait pas rond.

— Alors, on fait une petite sieste ? chuchota Luc en français, penché par-dessus le dossier.

En se redressant, Tomaszewski entendit un cliquètement et constata que l'un de ses poignets avait été solidement attaché à l'accoudoir à l'aide d'une paire de menottes. Luc se leva calmement, dévissa le bouchon d'un bidon d'essence et en vida le contenu sur les cheveux et le torse du Polonais.

— J'ai des allumettes, annonça-t-il à haute voix.

Wozniak jeta un œil par-dessus son épaule.

— Regarde devant toi et continue à conduire, ou je fais cramer ton copain ! hurla Luc.

— Ça va, lieutenant ? demanda Wozniak dans sa langue natale.

— Je ne veux pas entendre ce charabia ! cria Luc. Parlez en français ou fermez-la. Compris ?

— Calme-toi, mon garçon, dit Tomaszewski sur un ton qui se voulait apaisant. Tu t'appelles Luc, c'est bien ça ?

— Vous croyez pouvoir m'amadouer ? Économisez plutôt votre salive.

— C'est toi qui as massacré notre coéquipier ?

— J'avoue que je suis assez fier de moi. Vous auriez dû voir ses dents voler !

Tomaszewski refusait de s'abandonner à la colère.

— Nous ferions sans doute mieux de collaborer, tous les trois, suggéra-t-il.

— Malheureusement, il n'y a qu'un seul canon à bord de ce bus, ricana Luc, et il est peu probable que Walker accepte de l'attribuer aux deux équipes.

Wozniak se tourna à nouveau.

— Regarde devant toi ! ordonna le garçon.

— Même si nous parvenons à rejoindre King's Cross, tu ne pourras pas porter l'arme sans notre aide, fit observer Tomaszewski. Tu as pensé à ça, Luc ?

Ce dernier fit jouer une boîte d'allumettes entre ses doigts.

— Je trouverai bien un moyen, dit-il. S'il le faut, j'assommerai une bonne femme, je jetterai son bébé dans le caniveau et je lui piquerai son landau. Je ne manque pas d'imagination, vous savez. Regardez plutôt dans quelle situation vous vous trouvez...

CHAPITRE TRENTE-SIX

Le taxi s'engagea dans une rue latérale, à deux cents mètres de la gare de Stockport.

— Arrêtez-nous ici, s'il vous plaît, dit Rosie.

— Comme vous voudrez, répondit le chauffeur, un peu surpris, avant de se garer le long du trottoir.

Les trois agents avaient décidé de débarquer à distance de la gare, de peur de trouver les quais investis par la police. Pendant que PT et Rosie réglaient le chauffeur et descendaient le chargement, Marc partit en mission de reconnaissance.

Il trouva un guichet unique aménagé au bout du quai numéro un. Une passerelle enjambant la voie permettait de rejoindre les deux autres quais. Une petite route croisait les rails à quelques dizaines de mètres au-delà de l'extrémité des plates-formes. Le passage à niveau ne disposait pas de barrière.

L'heure de pointe étant passée, seuls de rares passagers patientaient sur le quai numéro un, direction Manchester. Marc consulta le tableau des horaires puis se tourna vers l'horloge. Neuf heures dix-huit. Le prochain train desservant la capitale était attendu à neuf heures trente-neuf.

— Le problème, dit-il lorsqu'il eut rejoint ses coéquipiers, c'est que les trains pour Londres s'arrêtent au quai numéro trois.

Ils étaient assis sur un banc public, à cent mètres de la gare, et ne quittaient pas des yeux le diable couché sur le gazon.

— On ne pourra jamais franchir le pont avec ce chargement. Et même si on y parvenait, ça nous prendrait un temps infini et on se ferait forcément remarquer. J'ai bien observé les lieux. Le seul moyen, c'est d'emprunter une ruelle menant à un terrain vague, de franchir un passage à niveau, de traverser les voies et de monter les trois marches au bout du quai numéro trois.

— Et qu'est-ce que tu fais du personnel de la gare ? interrogea PT. Ils vont nous tomber dessus.

— C'est risqué, je l'admets. Mais un train régional part du quai numéro un dans sept minutes. On pourrait se poster au bout, au moment où le convoi sera à l'arrêt, afin de voir comment ça se passe.

PT hocha la tête et se leva.

— S'ils ont été mis en état d'alerte, les policiers rechercheront une fille et deux garçons transportant une arme lourde. Il vaut mieux que tu restes ici avec le diable, le temps qu'on reconnaisse les lieux.

Marc et PT contournèrent la gare puis s'engagèrent dans la ruelle menant au terrain vague et au passage à niveau. Les nombreux véhicules qui avaient circulé sur la chaussée non goudronnée avaient transformé le sol en champ de boue. Ils repérèrent une étroite bande de terrain sec qui longeait la carcasse vermoulue d'un wagon-lit abandonné, puis s'accroupirent derrière un buisson d'où ils pouvaient surveiller le quai numéro un.

Lorsque le train pour Manchester entra en gare, ils virent le mécanicien descendre de la locomotive et échanger quelques mots avec le chef de gare, le contrôleur et deux bagagistes.

Au moment où les bielles de la motrice se remirent à grincer, deux ouvriers, surgis d'on ne sait où, s'engouffrèrent *in extremis* dans un wagon, en dépit des coups de sifflet furieux du chef de gare et de ses assistants. Marc et PT regardèrent le train s'ébranler.

— Il y a trop de personnel sur le quai à l'arrivée des trains, observa ce dernier. Il vaut mieux que nous prenions position avant. Je me cacherai derrière la salle d'attente, puis, le moment venu, je monterai dans le wagon du contrôleur. Rosie et toi choisirez des places dans des voitures différentes, de façon à ce qu'on ne nous voie pas voyager tous les trois.

Marc hocha la tête.

— Neuf heures vingt-neuf. Ça nous laisse dix minutes.

PT éprouvait les pires difficultés à pousser le diable sur la route boueuse qui longeait la voie ferrée et menait au passage à niveau. Rosie épaula les sacs censés dissimuler son chargement afin d'éviter qu'il ne soit déséquilibré et ne verse dans le fossé, puis le maintint en position verticale lorsqu'il son ami, au prix d'un effort surhumain, le poussa vers le quai numéro trois.

Deux passagers, qui patientaient à l'extrémité du quai numéro deux, assistèrent à la scène sans broncher.

Au moment précis où ils atteignirent les trois marches, la cloche du passage à niveau se mit à sonner. En temps de paix, des lumières auraient clignoté pour avertir les automobilistes du passage imminent d'un convoi, mais le dispositif avait été neutralisé depuis l'entrée en vigueur du black-out.

— Qui porte l'autre sac ? demanda Marc.

Rosie leva un sourcil.

— Mais il n'y a pas d'autre sac, bredouilla-t-elle.

— Bien sûr que si, affirma PT. Le sac contenant le chargeur et le viseur optique.

— Quand l'as-tu vu pour la dernière fois ? interrogea Marc.

— Il était encore là quand on discutait sur le banc.

— Bordel, gronda Marc en remettant sa sacoche à Rosie. Je vais faire le chemin à l'envers. Pendant ce temps, montez le canon sur le quai.

La jeune fille jeta un regard à l'horloge.

— Il nous reste six minutes, mais le train entrera en gare un peu avant, ne l'oublie pas.

En dépit des seize kilomètres qu'il avait parcourus au cours de la nuit, Marc se remit en route en trottinant. Après avoir traversé les voies, contourné des flaques de boue et s'être adossé à un mur de briques pour céder le passage à un attelage qui conduisait un chargement vers le terrain vague, il trouva le banc occupé par un vieux militaire.

L'homme, qui dégustait tranquillement une tourte à la viande, tressaillit lorsque Marc jaillit de la végétation qui bordait la pelouse, s'empara du sac et poussa un long soupir de soulagement.

— Merci mon Dieu, lâcha ce dernier.

Mais son euphorie fut de courte durée. En se retournant, il aperçut le panache de fumée produit par la locomotive du London Express. Il jeta le sac sur son dos puis, insensible à la douleur que lui infligeaient les lourdes pièces de métal qui saillaient entre ses omoplates, il courut vers la ruelle menant au terrain vague. À mi-chemin, il sentit le souffle lui manquer et sa vision se brouiller.

Il posa le sac à terre pour s'accorder une brève halte, puis le plaqua contre sa poitrine et tituba vers le terrain vague. Il dépassa l'attelage, immobilisé devant les lampes du passage à niveau, et marcha dans une flaque d'eau sans modifier sa trajectoire. En baissant les yeux, il constata que ses bottes et ses bas de pantalon étaient maculés de boue.

Pour compliquer le tout, une locomotive tirant un long convoi de voitures ouvertes remplies de charbon approchait sur la voie opposée. Marc devait impérativement franchir les rails avant que le train n'arrive à quai, en espérant s'embarquer dans le wagon de queue du London Express.

En des circonstances ordinaires, les quinze secondes dont il disposait pour traverser les voies ferrées auraient été amplement suffisantes, mais ses jambes étaient plus lourdes que des pierres tombales, et le sac d'accessoires semblait peser davantage à chaque pas.

Au moment précis où il s'engagea sur les rails, le chauffeur du train de marchandises actionna l'avertisseur. Marc évita de justesse le chasse-pierres de la locomotive et aperçut PT planté au début du quai numéro trois, l'air anxieux. Il se précipita dans sa direction puis, dans un ultime effort, posa le sac à ses pieds.

Les lourds bogies du train de marchandise firent vibrer la gare tout entière. PT tendit la main pour permettre à son camarade de le rejoindre, mais ce dernier recula d'un pas.

— Je risque d'attirer l'attention en grimpant sur le quai, dit-il. Dépêche-toi de monter ça dans le train et ne t'occupe pas de moi.

Devant le wagon de queue, Rosie bombardait le contrôleur de questions concernant le meilleur moyen de rejoindre la gare de Watford Junction, afin de couvrir les activités clandestines de ses coéquipiers.

PT jeta le sac sur son épaule puis tourna les talons pour s'adresser au contrôleur.

— Vous pouvez me donner un coup de main pour embarquer ça à bord, chef ? demanda-t-il.

Faisant mine de ne pas le connaître, Rosie se dirigea vers la voiture réservée aux femmes non accompagnées. Le contrôleur aida PT à hisser le diable à l'intérieur du wagon.

— Qu'est-ce qu'il y a là-dessous ? plaisanta l'homme, frappé par la pesanteur du chargement. Une mitrailleuse ?

PT faillit en avaler sa langue.

— Des tringles à rideaux anciennes, dit-il. Je vais les refourguer à une vente aux enchères. Je les ai bien enveloppées afin qu'elles ne soient pas abîmées.

PT jugeait cette explication fort peu crédible, mais le contrôleur, lui, sembla convaincu.

— Elles doivent être drôlement jolies, sourit-il.

Marc, qui avait remonté la voie et avait réussi à gagner l'autre extrémité du quai, marchait d'un pas traînant vers le wagon de tête, laissant dans son sillage des traces de pas boueuses. L'employé chargé de fermer les portières l'interpella.

— Eh, toi ! Tu as un billet ?

Le contrôleur, debout sur le marchepied, agita un drapeau vert. Marc envisagea de prendre la fuite, mais seul le canon comptait à ses yeux, et PT était parvenu à le monter à bord du wagon. Hélas, ses jambes étaient affreusement douloureuses, et il s'était cogné le genou en montant sur le quai.

Le chef de gare donna un coup de sifflet, puis le London Express s'ébranla. L'employé saisit Marc par le col et le secoua énergiquement.

— Ton compte est bon, mon garçon, gronda-t-il. Si tu ne possèdes pas de billet, c'est que tu violes le règlement de la London Midland and Scottish Railway.

Marc était décidé à se rendre, mais Rosie avait conservé la sacoche contenant sa lettre de reddition. Il brandit le billet de train qu'elle lui avait remis.

— Ma mère se trouve dans un hôpital de Londres, gémit-il en s'efforçant d'adopter un accent cockney. Je suis parfaitement en règle. Je suis resté coincé dans les embouteillages, et vous venez de me faire rater mon train.

CHAPITRE TRENTE-SEPT

Désireux de s'accorder quelques heures de sommeil, PT s'installa dans un compartiment inoccupé où il put enfin étendre ses longues jambes, mais les vives démangeaisons que lui causaient ses vêtements humides l'empêchèrent de fermer l'œil. À chaque halte, il scrutait anxieusement le quai, redoutant d'y découvrir un détachement de policiers.

Si l'on soupçonnait qu'ils se trouvaient à bord du train, il suffirait d'un appel téléphonique pour alerter la police des transports. Des fonctionnaires seraient aussitôt dépêchés dans l'une des gares situées sur le trajet, et le convoi fouillé de fond en comble. Il envisagea d'aller trouver Rosie pour lui suggérer de descendre au prochain arrêt et d'emprunter un train ne venant pas directement de Manchester.

Mais la fatigue brouillait ses pensées, et ses jambes étaient si lourdes que le moindre déplacement aux toilettes constituait une épreuve. Il souhaitait de tout son cœur que la mission soit couronnée de succès, mais il se sentait désormais incapable d'échafauder la moindre stratégie. Il était prêt, si nécessaire, à brandir sa lettre de reddition sans opposer de résistance.

Rosie le rejoignit quelques minutes avant que le train ne ralentisse à l'approche de la gare de Euston, au centre de Londres. Elle avait fait de son mieux pour se laver les mains et le visage dans les toilettes des femmes, mais ses cheveux en bataille et ses vêtements boueux lui donnaient des allures d'épouvantail. Ravi de la retrouver, PT l'embrassa passionnément. La passagère boulotte qui ronflait dans le compartiment depuis Stoke-on-Trent souleva une paupière et lâcha un grognement réprobateur.

— Comment va mon petit ange ? susurra-t-il.

— Je suis fatiguée, bâilla-t-elle. J'ai mal aux fesses, là où j'ai été atteinte par la chevrotine. Impossible de rester assise.

— On en a presque terminé. Nous n'avons plus qu'à rejoindre King's Cross.

— J'ai interrogé le contrôleur. Il dit que la gare se trouve à cinq minutes de marche, sur Euston Road. On pourra même faire appel à un bagagiste pour transporter le chargement.

Lorsque le convoi s'immobilisa, PT jeta prudemment un œil par la portière. Un garçon ressemblant étonnamment à Marc patientait sur le quai désert, à hauteur du wagon où était entreposé le diable.

— C'est impossible, murmura-t-il.

— Qu'est-ce qui est impossible ? demanda Rosie.

— Je dois être victime d'hallucinations, expliqua PT avant de bâiller à son tour. Bon sang, il faut absolument que je dorme.

Ils descendirent de la voiture et rejoignirent leur camarade.

— Eh bien, vous en avez mis du temps, sourit Marc. Rosie le serra brièvement dans ses bras.

— Alors là, je n'y comprends plus rien, dit-elle.

— Lorsque le chef de gare de Stockport m'a emmené dans son bureau, j'ai joué la scène des grandes eaux, puis j'ai raconté que ma mère était hospitalisée et que mon grand-père m'attendait à l'arrivée. Il m'a pris en pitié et m'a autorisé à montrer dans le train de Manchester. Là, j'ai emprunté le direct pour Londres.

— C'est chouette de te retrouver, dit PT. Depuis combien de temps es-tu là ?

— J'ai juste eu le temps de sauter du wagon, d'acheter un ticket de quai et de vous rejoindre. À première vue, pas de policiers à signaler.

Le contrôleur aida PT à descendre le diable, puis les trois coéquipiers quittèrent la gare. Tous les panneaux ayant été démontés ou badigeonnés de peinture, Rosie dut demander son chemin à un vendeur de journaux. Après une semaine passée dans les Highlands, Londres lui semblait sale et l'air irrespirable. Le soleil perçait à peine l'épais rideau de brouillard et il régnait un froid glacial, mais les agents commençaient à croire en leurs chances de mener à bien la mission.

— On y est presque, dit Marc tandis qu'ils remontaient Euston Road d'un pas vif, mais je n'ai jamais été aussi nerveux.

PT lui adressa un sourire lumineux.

— Même si on se fait pincer au dernier moment, on pourra être fiers du travail accompli.

— Fermez-la, vous deux, gronda Rosie. Vous allez nous porter la poisse.

Alors, au loin, ils entendirent un fracas assourdissant.

· · ·

Les deux premiers quais de la gare de King's Cross étaient réservés aux services postaux. Des wagons remplis de lettres et de colis en provenance des centres de tri du sud du pays y étaient débarqués, puis acheminés sous une voûte de briques, à l'extérieur du bâtiment.

Lorsque la poussière se fut dissipée, les employés chargés de trier les sacs, profondément choqués par le vacarme, découvrirent un bus gris encastré dans un pilier de la voûte. Le pare-brise avait volé en éclats et le toit avait été écrasé comme une boîte de conserve sur les deux premiers mètres du véhicule. Une large brèche s'étendant jusqu'à la verrière de la gare s'était ouverte dans la maçonnerie.

Des faubourgs de Liverpool au centre de Londres, Wozniak avait scrupuleusement obéi aux ordres de Luc. Mais il avait décidé de tenter sa chance à l'approche de la gare de King's Cross, en constatant que le gar-çon, debout au milieu de la travée, le canon dressé à la verticale, se tenait prêt à débarquer dès l'arrêt du véhicule.

Il avait un plan : effectuer de rapides embardées sur la chaussée étroite, puis actionner brutalement les freins afin de déséquilibrer son adversaire et de l'envoyer bouler contre le pare-brise avant qu'il n'ait le temps de gratter une allumette. Il lui suffirait alors de le mettre hors d'état de nuire d'un coup de poing bien placé, de s'emparer de la clé des menottes et de rejoindre aussi vite que possible le bureau des objets trouvés avant que la police ne s'intéresse au bus abandonné.

Mais tout ne s'était pas déroulé comme prévu. Dans la manœuvre, une roue avait heurté le trottoir et s'était soulevée, si bien que lorsque Wozniak avait enfoncé la pédale de frein, l'arrière du véhicule s'était déporté sur la voie opposée.

Tandis que la calandre frôlait le mur de la gare, l'autre extrémité avait balayé quatre voitures en stationnement. Pendant d'interminables secondes, le bus était demeuré sur les deux roues de droite, menaçant de se coucher sur le flanc. Cette cascade s'était achevée brutalement au moment où il avait percuté un pilier de la voûte étroite.

Luc perdit connaissance pendant quelques secondes. Son dos avait heurté la barre métallique facilitant la descente des passagers mais, au moins, il n'était pas passé à travers le pare-brise.

Wozniak, qui s'était brisé le nez contre le volant, émettait d'étranges gargouillis. Luc se traîna jusqu'à lui et lui assena un violent coup de matraque.

— Enfoiré ! gronda Luc, contraint de s'asseoir, une main plaquée sur son dos meurtri.

Une large tache de sang souillait son pantalon déchiré. Sans connaissance, Tomaszewski ne constituait pas une menace. Lors du choc, son poids avait lourdement pesé sur ses menottes, lui déboîtant une épaule, puis sa tête avait pulvérisé la vitre la plus proche.

Luc se redressa péniblement et découvrit une dizaine d'employés des services postaux rassemblés devant la calandre, les yeux braqués sur la voûte dont plusieurs briques menaçaient de se détacher.

Lorsqu'il poussa du pied la portière tordue, les gonds cédèrent et le panneau métallique tout entier tomba sur le trottoir.

La rue qui longeait la station était réservée aux taxis et aux véhicules de livraison, mais des curieux commençaient à affluer pour contempler l'épave du bus.

Luc descendit le canon sur le trottoir, se chargea des sacs contenant le chargeur et le dispositif de visée, puis sauta du véhicule. Deux hommes vinrent à sa rencontre, l'air soucieux.

— Tout va bien, petit ? demanda l'un d'eux.
— Tu étais à bord ? demanda l'individu qui l'accompagnait. Tu n'es pas blessé ?
— Ça va, répondit Luc en hochant la tête vers la portière. Mais eux, je crois qu'ils ont dégusté.

Tandis que ses interlocuteurs se ruaient à l'intérieur du bus, une poignée d'employés des postes franchirent une petite porte latérale donnant à l'intérieur de la gare.

— Tu devrais t'asseoir sur le trottoir, conseilla l'un d'eux en posant une main sur son épaule. Tu as l'air plutôt secoué.

Luc était sous le choc, en effet, mais il n'avait rien perdu de sa lucidité. Les secouristes n'allaient pas tarder à trouver Tomaszewski enchaîné à son siège et il serait inévitablement questionné.

— Je n'étais pas à bord de ce bus. Ma mère travaille au bureau des objets trouvés. C'est elle qui m'a envoyé chercher ce... ce truc.

L'employé contempla l'objet en question. À l'évidence, il s'agissait d'un canon antiaérien.

— Mais où diable as-tu déniché ça ? demanda-t-il, médusé.

Luc ignorait si l'homme l'avait vu descendre l'arme du bus, mais il était à court d'excuses et décida de tenter sa chance.

— Il a été oublié dans un train, à ce qu'il paraît. J'avais un chariot, mais l'essieu a été brisé par la roue arrière du bus. On peut dire que j'ai eu chaud...

L'employé semblait décontenancé.

— Tu dis que tu n'étais pas à bord ?

— Oui. Je marchais sur le trottoir, et j'ai plongé juste à temps, au moment où il s'encastrait dans le mur.

— Eh bien, si tu as été témoin de l'accident, je suppose que la police voudra te poser quelques questions. Nous leur dirons où tu es.

— J'ai eu tellement peur, gémit Luc en se frottant les yeux, comme s'il était sur le point de fondre en larmes. Je veux juste rejoindre ma mère. Mais je ne peux pas porter ça tout seul, et elle me passera un savon si je me fais détrousser.

L'homme sourit.

— Quand elle saura à quoi tu as échappé, elle sera heureuse de te retrouver en un seul morceau. Mais on va te procurer un chariot, et on t'accompagnera jusqu'à elle.

— C'est à deux pas, près du quai numéro trois.

— Mike, Joe ! Il faut aider ce gamin à transporter cette pétoire jusqu'au bureau des objets trouvés.

Tandis que la foule des curieux s'agglutinait aux alentours du passage voûté, deux employés soulevèrent le canon. Son interlocuteur insista pour porter le sac contenant les accessoires.

Il suivit les trois hommes jusqu'à un entrepôt où étaient remisés les chariots grillagés servant au chargement du courrier à bord des trains postaux. Ils placèrent le canon et le sac dans l'un d'eux puis le tirèrent jusqu'au hall de la gare. En marchant vers le bureau des objets trouvés, Luc remarqua trois silhouettes familières qui poussaient un diable recouvert d'une haute pile de vêtements.

PT, Marc et Rosie n'éprouvaient pas beaucoup de sympathie pour Luc, mais ils ne purent s'empêcher de sourire de toutes leurs dents.

— Pincez-moi, je rêve, soupira Marc.

Les employés des postes déposèrent le sac et le canon sur le comptoir des objets trouvés puis s'éloignèrent en poussant leur chariot. La préposée fouillait les rayonnages du bureau à la recherche des gants égarés par la jeune femme élégante qui patientait au guichet.

— On pensait que tu étais resté suspendu à une branche d'arbre, dit Rosie.

— Et moi, je pensais que vous n'arriveriez à rien sans moi, alors je me suis dit que je ferais mieux de piquer un canon par mes propres moyens, expliqua Luc.

— Tu as entendu ce bruit de tôle froissée, il y a quelques minutes ? demanda PT.

— Non, ricana son coéquipier, je n'ai rien entendu du tout.

La préposée remit à la jeune femme une paire de gants de feutre jaune puis se tourna vers les agents.

— Qu'est-ce que vous voulez ?

Rosie désigna les sacs et les canons posés sur le comptoir.

— Livraison spéciale destinée au vice-maréchal Walker, expliqua-t-elle.

— Oh, je vois, lâcha-t-elle, avant de se tourner vers le fond du bureau. Walker ! C'est encore des gens pour vous !

Le militaire franchit une petite porte de service puis se planta devant le guichet, la mâchoire ballante.

— Bonjour, monsieur ! lancèrent joyeusement Marc et PT.

— Nous sommes drôlement contents de vous revoir, vieille canaille, plaisanta Rosie.

Walker fronça les sourcils.

— Êtes-vous parvenus à me ramener un canon ?

Les quatre agents d'Henderson échangèrent un sourire radieux.

— À dire vrai, monsieur, vous nous êtes si sympathique que nous avons pris la liberté de vous en rapporter une paire.

CHAPITRE TRENTE-HUIT

Les membres du groupe A avaient regagné leur quartier général tard dans la nuit. Au matin, Paul fut le premier à se lever.

Il trouva les six recrues du groupe B, qui avaient déjà effectué leur footing quotidien, installées à la longue table de la salle à manger. Leurs tenues de combat étaient humides, leurs bottes crottées entassées près de la porte.

— Paul ! s'exclama Samuel, tout excité. Qu'est-ce que je suis content de te revoir ! On meurt tous d'impatience de savoir ce qui s'est passé. Il paraît que ton parachute s'est mis en torche ?

D'un naturel timide, Paul était embarrassé de sentir tous les regards braqués sur lui. Il baissa les yeux et saisit deux tranches de pain beurré, un morceau de fromage et un œuf sur le chariot de service. Il aurait préféré prendre son petit déjeuner en paix, mais ses camarades poussèrent leur chaise pour lui faire de la place.

— Alors, c'était comment, ces cours de parachutisme ? demanda Tristan.

— Intéressant, répondit Paul en cassant la coquille de son œuf sur l'angle de la table.

— C'est vrai que Luc a lancé un bus contre un mur à King's Cross ?

— Il était dans le bus au moment de l'accident, mais il n'était pas au volant.

— Vous aviez tous l'air tellement crevés, quand vous êtes arrivés hier soir, fit observer Yves.

Paul lâcha un bref éclat de rire.

— C'était un drôle de spectacle, quand on s'est mis au lit. J'ai les jambes en bouillie et le nez cassé. Joël a un pied dans le plâtre. Marc s'est planté une collection d'épines dans les cuisses. Luc s'est fait mal au dos pendant l'accident et ma sœur a pris une volée de plomb dans les fesses. Seul PT est indemne.

Sur ces mots, Henderson entra d'un pas traînant dans la salle à manger. Il avait troqué son uniforme de la Navy contre un pantalon informe et un maillot de corps blanc dont les mailles laissaient entrevoir d'épais bandages.

— Et un mort-vivant de plus, chuchota Tristan.

Ses camarades gloussèrent discrètement.

— On m'a dit que tu avais fait du beau travail, Paul, dit Henderson en s'approchant de la table. Pourrais-je te dire deux mots dans mon bureau quand tu auras terminé ton petit déjeuner ?

— Bien sûr, monsieur.

— Les autres, qu'est-ce que vous attendez pour monter vous changer ? Mr Takada n'apprécie pas les retardataires.

Au grand soulagement de Paul, les membres du groupe achevèrent leur repas en toute hâte, puis empilèrent assiettes et couverts sur le chariot métallique.

Lorsque Henderson et les garçons eurent quitté la pièce, Tristan s'assit près de lui et se pencha à son oreille.

— J'ai sauvé Mavis, chuchota-t-il.

Le visage de Paul s'illumina.

— L'araignée ? demanda-t-il, incrédule.

— Elle se trouve sous mon lit, dans une vieille boîte à chaussures, expliqua Tristan. Je l'ai installée près du radiateur pour la tenir au chaud. Je me suis emparé discrètement du cahier dans la véranda, et je continue à noter les horaires des repas.

— Et elle va bien ?

Le visage de Tristan s'assombrit.

— Je la trouve très agitée à chaque fois que je la nourris. Comme tu as plus d'expérience que moi, j'aimerais que tu y jettes un œil.

— Bien sûr. La température est sans doute suffisante, mais elle a besoin de lumière et d'espace. Nous devrons lui trouver une cachette plus adéquate.

— Il faut que je rejoigne les autres au premier, mais dès que nous serons dans le préau, tu pourras aller la chercher.

— Il faudra rester prudents. Si Henderson découvre notre secret...

Takada déboula dans la salle à manger.

— Tristan ! Qu'est-ce que tu fabriques ? Si tu n'es pas en tenue de sport dans cinq minutes, les punitions commenceront à tomber.

— Je crois que je ferais mieux d'obéir, bredouilla le garçon.

Paul lui adressa un clin d'œil complice.

— Ne t'inquiète pas pour qui tu sais, dit-il. On s'occupera bien d'elle, tous les deux.

* * *

Lorsque Paul entra dans l'ancien bureau du directeur de l'école, McAfferty l'accueillit avec un large sourire. Les deux tables occupaient la quasi-totalité de la pièce exiguë. Un feu de charbon brûlait dans la cheminée.

— Assieds-toi, dit Henderson en désignant la chaise d'écolier qui lui faisait face. Alors, comment te sens-tu ?

— J'ai encore mal aux jambes, mais ça va déjà beaucoup mieux qu'hier. Et vous, monsieur ?

Henderson baissa la tête et considéra son torse bandé.

— Le chirurgien a dû m'ouvrir quatre fois pour faire cesser l'hémorragie interne. Avant la dernière opération, je lui ai suggéré de placer une fermeture Éclair…

Paul sourit.

— Mais maintenant, comment vous portez-vous ?

— On m'a posé vingt-quatre points de suture. Je devrai me cantonner à des tâches administratives pendant quelques semaines, si tout se passe bien.

— J'ai assez de paperasse pour le tenir occupé pendant des mois, plaisanta McAfferty.

— Je vais laisser tes coéquipiers dormir quelques heures de plus, reprit Henderson. Ils l'ont bien mérité. Mais je me suis dit que tu serais ravi d'apprendre qu'Eric Mews, le ministre de l'Économie de guerre, m'a adressé un télégramme.

— Il me semblait qu'il occupait le poste de vice-ministre, fit observer Paul.

— C'était le cas, en effet, répondit McAfferty, mais le Premier Ministre était mécontent des modestes progrès accomplis par le SOE, alors il lui a offert une promotion et l'a chargé de réorganiser l'ensemble du service.

Henderson s'éclaircit la gorge.

— Voici le message du ministre : *À tous les membres de CHERUB...*

— C'est quoi, CHERUB ? interrompit Paul.

Henderson sourit.

— *Charles Henderson's Espionage Research Unit B*[8]. La poste facture les télégrammes au nombre de lettres, alors nous utilisons fréquemment de telles abréviations dans les échanges administratifs.

— Mais notre organisation ne devrait-elle pas être baptisée *Eileen McAfferty's Espionage Research Unit B* ? demanda Paul.

— Peu importe, dit McAfferty. Je possède le plus haut grade de l'unité, mais c'est le capitaine de frégate

---

8. Unité de recherche et d'espionnage B de Charles Henderson (NdT).

Henderson qui l'a fondée et en dirige les opérations. De plus, CHERUB sonne agréablement, non ? Bien mieux qu'EMERUB, en tout cas. On dirait le nom d'une crème antifongique…

Henderson reprit la lecture du télégramme.

— *À tous les membres de CHERUB. Ravi du succès de l'entraînement. Fonde grands espoirs dans l'organisation et souhaite que vous obteniez rapidement statut d'agents opérationnels. Ne doute pas que prochains changements parmi officiers de commandement du SOE joueront en votre faveur.*

Paul s'accorda quelques secondes de réflexion.

— De quels changements parle-t-il ?

— Rien n'a été annoncé officiellement, mais mon petit doigt me dit que le vice-amiral Walker sera limogé dans les jours à venir.

— Bien fait pour lui, ricana Paul.

— À ce qu'on dit, les autorités lui reprochent certains dérapages survenus lors d'un exercice en milieu urbain. *Apparemment*, un bus s'est encastré dans un mur de la gare de King's Cross. Les dégâts sont si importants qu'un quai et la zone de tri attenante resteront fermés pendant trois semaines. Le directeur des services postaux est hors de lui. La distribution du courrier à Londres devra être entièrement réorganisée.

— Luc va-t-il être sanctionné ?

— Il faudra attendre les conclusions du rapport d'enquête interne concernant l'incident, expliqua McAffery. Mais selon toute évidence, c'est un Polonais qui était au volant et sera jugé responsable.

— Je m'entretiendrai individuellement avec les membres de l'équipe dès leur réveil, ajouta Henderson.

— Alors, qu'est-ce qui nous attend, maintenant ? demanda Paul.

— Pour commencer, je vous accorde deux semaines de repos. Ensuite, avant de vous confier la moindre mission, nous vous dispenserons des cours de conduite automobile, car cette lacune s'est révélée gravement préjudiciable lors de l'exercice sur le terrain.

— Et pour ce qui concerne mon brevet parachutiste ? demanda Paul.

— Si tu es complètement remis, tu pourras le repasser dans cinq semaines, avec les membres du groupe B. Mais je dois t'avertir que le sergent Parris craint que tu n'éprouves une vive appréhension à sauter de nouveau, compte tenu de l'incident dont tu as été victime.

Paul haussa les épaules.

— Je crois que ça ira, même si je ne serai définitivement fixé que le jour où je remonterai à bord de la nacelle d'entraînement.

— Je comprends, dit Henderson. Tu es réaliste, comme toujours. Eh bien, si tu n'as pas d'autres questions, je crois que notre entretien est terminé.

— Et pour l'insigne ? demanda McAfferty.

— Oh, bon sang, où avais-je la tête ? Paul, je vais te donner l'occasion d'exploiter utilement tes talents artistiques.

— De quoi s'agit-il, monsieur ?

— Je comptais remettre l'insigne de parachutiste à tes camarades du groupe A, mais en épluchant la réglementation, j'ai découvert qu'il s'agissait d'une distinction officielle réservée aux militaires.

— C'est idiot, dit Paul, profondément déçu. Pourtant, nous avons suivi les mêmes épreuves que les autres.

— Je partage ton avis, dit Henderson. C'est pourquoi je me tourne vers toi. J'aimerais que tu dessines un insigne réservé aux membres de CHERUB. Ensuite, nous réaliserons des écussons ou des épinglettes métalliques que nous remettrons aux recrues ayant obtenu la qualification d'agent opérationnel.

— Vous avez déjà un motif en tête ?

— Nous te laissons toute liberté, répondit McAffery. Un symbole avec des ailes, peut-être, ou un enfant. Tu pourrais soumettre plusieurs projets, et demander à tes camarades de désigner celui qu'ils préfèrent.

— J'aime bien le nom CHERUB, dit Paul. Sur les peintures de la renaissance, les chérubins sont des anges, des bébés ailés. Ça nous conviendrait parfaitement, puisque nous sautons en parachute.

— Tu en sais sûrement davantage que moi sur l'histoire de l'art, sourit Henderson. Je suis convaincu que tu feras des merveilles.

...

Luc fut le dernier à s'entretenir avec Henderson. En ce début d'après-midi, McAffery se trouvait à l'hôpital local. Elle avait accompagné Paul afin qu'un médecin examine son nez cassé.

— Prends un siège, ordonna Henderson sans quitter des yeux une feuille de papier couverte de notes manuscrites.

Luc plaça une main dans son dos et se laissa tomber sur la petite chaise en gémissant. Henderson le dévisagea longuement : cheveux courts soigneusement peignés, cou épais, bras solides et poings d'adulte.

— J'ai lu le compte rendu que tu as rédigé dans le train. De mon point de vue, il ressemble davantage à un roman d'épouvante qu'à un rapport de mission.

Luc semblait stupéfait.

— Je ne comprends pas de quoi vous voulez parler, monsieur.

Henderson lut à haute voix un extrait du document.

— *J'ai attrapé une planche pleine d'échardes et de clous et je lui en ai collé un grand coup en plein visage. Ses dents ont volé dans toutes les directions.* Luc, tout ça me donne la nausée. Et le pire, c'est que j'ai l'impression que tu as pris du plaisir à faire souffrir cet homme.

— Je n'ai fait que décrire précisément ce qui s'est passé, conformément aux consignes de Miss McAfferty.

— Était-il absolument nécessaire de frapper ta victime au visage avec un objet aussi meurtrier ? Tu bénéficiais de l'effet de surprise. Tu aurais pu te servir de tes poings, ou utiliser une arme moins dangereuse.

— Sur le moment, j'ai estimé que c'était le moyen le plus indiqué. Je n'étais qu'un enfant confronté à trois adultes, je vous le rappelle. Il fallait que je rétablisse l'équilibre.

— Et ça t'a plu ? demanda Henderson. Honnêtement, je suis certain que c'est le cas.

Luc observa quelques secondes de silence puis poussa un profond soupir.

— Et si c'était le cas ? J'ai fait mon boulot, c'est tout ce qui importe.

— Je ne suis pas tout à fait de ton avis. Tu as réalisé un exploit au cours de ces deux derniers jours, mais tes méthodes me mettent mal à l'aise. Avant de t'envoyer en mission, je dois pouvoir te faire confiance.

Furieux, Luc se leva d'un bond et posa les mains sur le bureau.

— J'ai fait ce qu'on m'avait demandé. Il me semblait qu'on se préparait à la guerre, pas à une partie de thé entre aristocrates.

— Assieds-toi *immédiatement*, gronda Henderson. Et fais-moi le plaisir de baisser d'un ton.

— Mon père est mort, fulmina Luc, ignorant délibérément l'ordre qu'on venait de lui intimer. Ma mère s'est tirée avec le premier venu quand j'avais quatre ans. Je n'ai eu que mon grand frère pour s'occuper de moi, mais il a dû rejoindre l'armée, et il s'est fait massacrer par les Boches aux premières heures de l'invasion. Dans ce monde, personne ne se soucie de moi, et laissez-moi vous dire que je ne me sou- cie de personne.

— Penses-tu sérieusement que personne ne se soucie de ton sort ? s'étonna Henderson. Mais regarde autour de toi, mon garçon. N'es-tu pas correctement traité ?

Luc partit d'un rire sans joie et se rassit.

— Alors disons que personne ne s'*intéresse* à moi.

— Et toi, Luc, qu'est-ce qui t'intéresse ?

Henderson espérait que sa question inciterait le garçon à la réflexion, mais la réponse fut immédiate.

— Ce qui m'intéresse ? Sauter en France occupée et massacrer autant d'Allemands que possible pour leur faire payer la mort de mon frère.

— Luc, soupira Henderson. Je peux comprendre que les événements douloureux que tu as vécus te dissuadent de nouer des relations d'affection, mais si tu commences par respecter ceux que tu côtoies, tu ne tarderais pas à découvrir que...

— Respecter ? Qui êtes-vous pour me servir un sermon sur le respect ? Marc m'en a dit long à votre sujet : comment vous avez massacré un type désarmé dans sa salle de bains d'une rafale de mitraillette et lancé une grenade dans une pièce pleine de Boches !

— C'était une situation de guerre, et je n'avais pas d'alternative ! rugit Henderson en se levant à son tour. Contrairement à toi, je ne tabasse pas mes camarades d'entraînement dans les toilettes par pur sadisme.

— Mais nous n'avons pas encore parlé de votre chère épouse, grinça Luc en se dressant de façon à affronter son interlocuteur les yeux dans les yeux. Joan a perdu la tête après la mort de votre fille, mais vous êtes parti pour la France sans vous soucier de son état. Tout le monde sait que vous l'avez trompée avec une certaine Maxine, et Dieu sait combien d'autres allumeuses. À votre retour de mission, vous l'avez engrossée. Puis, lorsqu'elle a perdu la tête et essayé de vous tuer, vous n'avez rien trouvé de mieux que de liquider les animaux auxquels elle tenait plus que tout au monde. Alors, je répète ma question : qui êtes-vous pour me donner des leçons de respect et de confiance ?

Henderson se pencha par-dessus le bureau et saisit Luc par le cou.

— Je te défends de parler de ma femme, espèce de sale petite vipère !

Luc étouffait, mais il était déterminé à ne pas se soumettre. Un sourire maléfique illumina son visage écarlate.

— On dirait que j'ai touché un point sensible, gémit-il.

— Je vais te coller une bonne correction, menaça Henderson.

À ce moment précis, le combiné posé sur le bureau se mit à sonner.

— Vous pouvez me tabasser autant qu'il vous plaira, ça ne vous donnera pas raison, ricana Luc.

Tremblant de rage, l'homme lâcha son cou et décrocha le téléphone.

— Henderson à l'appareil.

Il reconnut aussitôt la voix du contre-amiral Hammer. Luc, le souffle court, massa sa gorge douloureuse.

— J'ai appris que l'une de vos recrues avait neutralisé à elle seule une unité de soldats polonais, dit joyeusement Hammer.

Henderson éprouvait les pires difficultés à retrouver son sang-froid et à se concentrer sur les propos de son interlocuteur.

— Oui, monsieur, répondit-il. Tous les membres du groupe A se sont admirablement comportés au cours de l'exercice final.

— C'est bien. Sachez que le Premier Ministre s'intéresse désormais de très près aux opérations du SOE. Il souhaite qu'une vingtaine d'agents soient parachutés en zone occupée avant six semaines.

— Ce sont là d'excellentes nouvelles, dit Henderson sans cesser de dévisager Luc.

— Nous nous retrouverons mercredi, à dix heures, à Baker Street, pour discuter les détails des missions. Venez avec McAfferty, et soyez avertis que le Premier Ministre sera présent, si son agenda le permet.

— Je tâcherai de me comporter en individu civilisé, monsieur, plaisanta Henderson.

Après avoir salué le contre-amiral, il raccrocha le téléphone. Les marques rouges autour du cou de Luc lui inspiraient un profond sentiment de culpabilité. Il ne savait s'il devait mépriser ou prendre en pitié ce pauvre garçon.

— Ne me parle plus jamais de cette façon, dit-il.

— Je me fous pas mal que vous me mettiez à la porte, répliqua Luc d'une voix chevrotante.

Henderson secoua la tête.

— Tu es trop doué pour que je te chasse, avoua-t-il de mauvaise grâce. Mais tu es aussi un individu détestable. Alors, je crois qu'il vaut mieux que nos rapports demeurent strictement professionnels à compter d'aujourd'hui.

— Oui, monsieur.

— Tu as deux semaines pour te reposer et tâcher de t'amuser un peu. Essaye au moins de te comporter comme un représentant de l'espèce humaine. Ensuite, tu nous aideras à gagner cette sale guerre. À présent, fais-moi le plaisir de foutre le camp de mon bureau.

L'ÉVASION

Été 1940. L'armée d'Hitler fond sur Paris. Au milieu du chaos, l'espion britannique Charles Henderson recherche désespérément deux jeunes Anglais traqués par les nazis. Sa seule chance d'y parvenir : accepter l'aide de Marc, 12 ans, orphelin débrouillard. Les services de renseignement britanniques comprennent peu à peu que ces enfants constituent des alliés insoupçonnables. Une découverte qui pourrait bien changer le cours de la guerre…

LE JOUR DE L'AIGLE

1940. Un groupe d'adolescents mené par l'espion anglais Charles Henderson tente vainement de fuir la France occupée. Malgré les officiers nazis lancés à leurs trousses, ils se voient confier une mission d'une importance capitale : réduire à néant les projets allemands d'invasion de la Grande-Bretagne. L'avenir du monde libre est entre leurs mains…

L'ARMÉE SECRÈTE

Début 1941. Fort de son succès en France occupée, Charles Henderson est de retour en Angleterre avec six orphelins prêts à se battre au service de Sa Majesté. Livrés à un instructeur intraitable, ces apprentis espions se préparent pour leur prochaine mission d'infiltration en territoire ennemi. Ils ignorent encore que leur chef, confronté au mépris de sa hiérarchie, se bat pour convaincre l'état-major britannique de ne pas dissoudre son unité...

OPÉRATION U-BOOT

Printemps 1941. Assaillie par l'armée nazie, la Grande-Bretagne ne peut compter que sur ses alliés américains pour obtenir armes et vivres. Mais les cargos sont des proies faciles pour les sous-marins allemands, les terribles U-boot. Charles Henderson et ses jeunes recrues partent à Lorient avec l'objectif de détruire la principale base de sous-marins allemands. Si leur mission échoue, la résistance britannique vit sans doute ses dernières heures...

LE PRISONNIER

Printemps 1942. Depuis huit mois, Marc Kilgour, l'un des meilleurs agents de Charles Henderson, est retenu dans un camp de prisonniers en Allemagne. Affamé, maltraité par les gardes et les détenus, il n'a plus rien à perdre. Prêt à tenter l'impossible pour rejoindre l'Angleterre et retrouver ses camarades de **CHERUB**, il échafaude un audacieux projet d'évasion. Au bout de cette cavale en territoire ennemi, trouvera-t-il la mort... ou la liberté ?

TIREURS D'ÉLITE

Mai 1943. **CHERUB** découvre que l'Allemagne cherche à mettre au point une arme secrète à la puissance dévastatrice. Sur ordre de Charles Henderson, Marc et trois autres agents suivent un programme d'entraînement intensif visant à faire d'eux des snipers d'élite. Objectif : saboter le laboratoire où se prépare l'arme secrète et sauver les chercheurs français exploités par les nazis. Mais quelles sont les chances de combattants si jeunes face à la puissance de leurs ennemis impitoyables ?

Pour savoir ce qu'est devenue aujourd'hui l'organisation fondée par Charles Henderson, **lisez la série CHERUB**

CHERUB est un département ultrasecret des services de renseignement britanniques composé d'agents âgés de 10 à 17 ans. Ces professionnels rompus à toutes les techniques d'infiltration sont des enfants donc... des espions insoupçonnables !

James n'a que 12 ans lorsque sa vie tourne au cauchemar. Placé dans un orphelinat sordide, il glisse vers la délinquance. Il est alors recruté par **CHERUB**, une mystérieuse organisation gouvernementale. James doit suivre un éprouvant programme d'entraînement avant de se voir confier sa première mission d'agent secret. Sera-t-il capable de résister 100 jours ? 100 jours en enfer…

Depuis vingt ans, un puissant trafiquant de drogue mène ses activités au nez et à la barbe de la police. Décidés à mettre un terme à ces crimes, les services secrets jouent leur dernière carte : **CHERUB**. À la veille de son treizième anniversaire, l'agent James Adams reçoit l'ordre de pénétrer au cœur du gang. Il doit réunir des preuves afin d'envoyer le baron de la drogue derrière les barreaux.
Une opération à haut risque…

Au cœur du désert brûlant de l'Arizona, 280 jeunes criminels purgent leur peine dans un pénitencier de haute sécurité.
Plongé dans cet univers impitoyable, James Adams, 13 ans, s'apprête à vivre les instants les plus périlleux de sa carrière d'agent secret **CHERUB**. Il a pour mission de se lier d'amitié avec l'un de ses codétenus et de l'aider à s'évader d'Arizona Max.

En difficulté avec la direction de **CHERUB**, l'agent James Adams, 13 ans, est envoyé dans un quartier défavorisé de Londres pour enquêter sur les activités obscures d'un petit truand local.
Mais cette mission sans envergure va bientôt mettre au jour un complot criminel d'une ampleur inattendue.
Une affaire explosive dont le témoin clé, un garçon solitaire de 18 ans, a perdu la vie un an plus tôt.

Le milliardaire Joel Regan règne en maître absolu sur la secte des Survivants. Convaincus de l'imminence d'une guerre nucléaire, ses fidèles se préparent à refonder l'humanité.

Mais derrière les prophéties fantaisistes du gourou se cache une menace bien réelle...

L'agent **CHERUB** James Adams, 14 ans, reçoit l'ordre d'infiltrer le quartier général du culte. Saura-t-il résister aux méthodes de manipulation mentale des adeptes ?

Des milliers d'animaux sont sacrifiés dans les laboratoires d'expérimentation scientifique. Pour les uns, c'est indispensable aux progrès de la médecine. Pour les autres, il s'agit d'actes de torture que rien ne peut justifier. James et sa sœur Lauren sont chargés d'identifier les membres d'un groupe terroriste prêt à tout pour faire cesser ce massacre. Une opération qui les conduira aux frontières du bien et du mal...

Les autorités britanniques
cherchent un moyen
de mettre un terme
à l'impitoyable guerre
des gangs qui ensanglante
la ville de Luton. Elles
confient à **CHERUB** la mission
d'infiltrer les Mad Dogs,
la plus redoutable
de ces organisations
criminelles.
De retour sur les lieux
de sa deuxième mission,
James Adams, 15 ans,
est le seul agent capable
de réussir cette opération
de tous les dangers…

Lors de la chute
de l'empire soviétique,
Denis Obidin a fait main
basse sur l'industrie
aéronautique russe.
Aujourd'hui confronté à
des difficultés financières,
il s'apprête à vendre son
arsenal à des groupes
terroristes.
La veille de son quinzième
anniversaire, l'agent
CHERUB James Adams est
envoyé en Russie pour
infiltrer le clan Obidin.
Il ignore encore que cette
mission va le conduire
au bord de l'abîme…

Un avion de la compagnie
Anglo-Irish Airlines
explose au-dessus
de l'Atlantique, faisant
345 morts.
Alors que les enquêteurs
soupçonnent
un acte terroriste, un
garçon d'une douzaine
d'années appelle la police
et accuse son père d'être
l'auteur de l'attentat.
Deux agents de **CHERUB** sont
aussitôt chargés de suivre
la piste de ce mystérieux
informateur…

Le camp d'entraînement
militaire de Fort Reagan
recrée dans les moindres
détails une ville plongée
dans la guerre civile.
Dans ce décor ultra
réaliste, quarante soldats
britanniques sont chargés
de neutraliser tout un
régiment de l'armée
américaine.
L'affrontement semble
déséquilibré, mais les
insurgés disposent d'une
arme secrète : dix agents
de **CHERUB** prêts à tout pour
remporter la bataille…

Décembre 2004 :
un tsunami dévaste les
côtes de l'Asie. Le
gouverneur de l'île de
Langkawi en profite pour
implanter des hôtels de
luxe à l'emplacement des
villages dévastés... Quatre
ans plus tard, James
Adams doit assurer la
sécurité du gouverneur
lors de sa visite à Londres.
Mais l'ex-agent Kyle
Blueman lui propose
d'entreprendre une
opération clandestine
particulièrement risquée.
James trahira-t-il **CHERUB**
pour prêter main-forte
à son meilleur ami ?

De retour d'un long séjour
en Irlande du Nord,
l'agent Dante Scott se voit
confier une mission à haut
risque : accompagné de
James et Lauren, il devra
infiltrer le Vandales
Motorcycle Club, l'un des
gangs de bikers les plus
puissants et les plus
redoutés d'Angleterre.
Leur objectif : provoquer
la chute du Führer, le chef
des Vandales. Un être
sanguinaire dont Dante,
hanté par un terrible
souvenir d'enfance,
a secrètement juré
de se venger...

Après huit longs mois d'attente, Ryan se voit enfin confier sa première mission CHERUB. Sa cible : Ethan, un jeune Californien privilégié passionné par l'informatique et le jeu d'échecs. Le profil type du souffre-douleur idéal... sauf que sa grand-mère dirige le plus puissant syndicat du crime du Kirghizistan. Si Ryan espérait profiter de cette opération pour bronzer sous le soleil californien, il déchantera bien vite.

Pour échapper aux tueurs lancés à ses trousses, Ethan a dû rejoindre le clan Aramov au Kirghizistan. Cloîtré dans la base d'où sa grand-mère et son oncle mènent leurs opérations criminelles, seul Internet lui permet de communiquer avec Ryan, le garçon qui, par deux fois, lui a sauvé la vie. Il ignore encore que son ange gardien est un agent de CHERUB chargé de démanteler l'organisation mafieuse dont il est l'héritier.

I DO NOT EXIST

Pour raison d'État, ces agents n'existent pas.

www.cherubcampus.fr
www.hendersonsboys.fr